D0783765

Dolfijnenavonturen

Dolfijnenmysterie in Mexico!

Dit boek is fictioneel. Namen, personages, plaatsen en gebeurtenissen zijn een product van de fantasie van de auteur, of zijn fictioneel gebruikt. Iedere overeenkomst met ware gebeurtenissen, plaatsen of personen (levend of dood) berust op toeval.

CIP-gegevens Koninklijke Bibliotheek, Den Haag

van der Valk, Mary

Dolfijnenavonturen: Dolfijnenmysterie in Mexico! / Mary van der Valk
Internet: www.eekhoorn.com
Illustraties: Melanie Broekhoven
Eindredactie: YDee Media, Amstelveen
Vormgeving: Bureau Maes & Zeijlstra, Oosterbeek

ISBN 978-90-454-1212-2
NUR 283

Dolfijnenavonturen

Dolfijnenmysterie in Mexico!

Mary van der Valk

Omslag
Melanie Broekhoven

Inhoud

holiday
girls

1 Een bijzonder cadeau

Ongeduldig en gespannen zitten Amber en Iris op de tribune. Ze kunnen niet wachten tot de show gaat beginnen! Nieuwsgierig kijkt Iris om zich heen, bijna alle plaatsen op de tribune zijn bezet.
'Wat een fantastisch verjaardagscadeau, hè,' zucht Amber. 'Met z'n tweetjes naar het Dolfinarium.'
'Ja, helemaal te gek,' antwoordt Iris. Ze tuurt naar het water, hopend dat ze al een dolfijn ziet zwemmen.
Ambers vader schudt zijn hoofd en lacht. Die twee meiden genieten nu al!
Plotseling gaan de schijnwerpers boven het bassin aan en klinkt er luide muziek.
'Het gaat beginnen,' fluistert Iris enthousiast.
Uit het water springt een dolfijn omhoog. Zo hoog dat hij met zijn neus tegen de bel tikt die boven het water hangt. Met een enorme plons valt hij weer in het water en zwemt naar de kant. Daar staat een van de trainers met een emmer vol vis. De dolfijn steekt zijn kop boven water en kijkt de man vragend aan. De trainer geeft hem een aai over zijn neus en gooit als beloning een visje richting het water.

Behendig vangt de dolfijn de vis in zijn bek op.
Een fantastische show volgt. Ze zien hoe de dolfijnen ballen opvangen en op hun snuit houden. Wel zes dolfijnen springen tegelijk uit het water omhoog en maken de ene na de andere salto. De dieren springen sierlijk over een touw en door ringen!
Amber en Iris kijken hun ogen uit en klappen om het hardst!
Dan laten een paar trainers zich in het water zakken. Het publiek houdt de adem in. Wat gaat er nu gebeuren? Door de luidsprekers klinkt de stem van een van de trainers.
'Dames en heren, jongens en meisjes, als klap op de vuurpijl zullen de dolfijnen Apollo, Juno en Tucker hun kunsten laten zien.'
Even later schieten de dolfijnen met een enorme vaart door het water. Samen met de trainers!
Het publiek geniet met volle teugen van het dolfijnentheater en zelfs Ambers vader, die anders niet zo snel klapt, doet mee!

Na de voorstelling lopen de meiden achter Ambers vader aan de tribune af.
'Zo dames, dat was nog maar het begin,' zegt Ambers vader enthousiast. 'Er is hier nog veel meer te zien. Kom maar mee!'
Ze gaan naar een ander bassin, waar iemand uitgebreid vertelt over de verzorging van de vissen in het Dolfinarium. In het water zwemmen verschillende soorten roggen rond en zelfs een paar kleine haaiensoorten. De vrouw vertelt

enthousiast en zegt dan: 'En wie het durft, die mag de roggen en haaien aaien!'
Amber buigt zich voorover en staart in het water. Over de bodem glijden roggen voorbij, de haaien ziet ze langs het glas bewegen. Een rilling loopt over haar rug. 'Durf jij dat?' vraagt ze zachtjes aan Iris.
'Tuurlijk,' antwoordt die, en ze steekt meteen haar hand in het water om een rog te aaien. Het dier zwemt rustig voorbij als Iris hem met haar hand aanraakt. 'Brrr, dat voelt glad aan. Kom op, Amber, nu jij.'
Een kleine haai komt hun kant opzwemmen. Amber houdt twijfelend haar hand boven het water.
'Kom op,' moedigt Iris haar aan. 'Je kan het!'
Voor Amber er erg in heeft, steekt ze haar hand in het water en raakt de haai aan. Met een gilletje trekt ze haar hand snel weer terug. 'Zag je dat?' roept ze enthousiast. 'Ik heb een haai aangeraakt!'
Even later lopen ze naar buiten, op naar de volgende attractie!
'Kijk daar, daar ligt een groot schip in het water,' roept Amber. Ze trekt Iris mee naar de rand. Op de boot zien ze een paar matrozen staan, die allemaal een plunjezak bij zich hebben. Ze blijven staan om te kijken en komen er achter dat er in die plunjezakken souvenirs voor hun zeeleeuwenliefjes zitten. Er volgt een waar spektakel waarin de zeeleeuwen allerlei kunstjes opvoeren.
'Moet je nou kijken!' roept Iris als een van de zeeleeuwen een matroos in het water duwt.
Amber staat te schateren van het lachen.

En zo lopen de meiden van attractie naar attractie. Ze genieten van iedere minuut.
'Wat is het hier ongelofelijk veel te zien, hè!' zegt Amber.
'Dat kun je wel zeggen, ja!' antwoordt Iris. 'Ik heb weer heel wat te vertellen als ik straks thuiskom!'
Ondertussen zijn ze bij een ander bassin aangekomen. Een dikke walrus zit op de kant van het zonnetje te genieten.
'Welkom bij de Snorrrr-show!' roept de trainer. 'Jullie denken waarschijnlijk dat walrussen domme dieren zijn. Ze zien er traag, log en lomp uit, maarrrr... schijn bedriegt. Het zijn juist heel slimme beesten!'
Terwijl de trainer verder vertelt, trekt Amber Iris aan haar arm. 'Zullen we weer even naar mijn vader gaan,' zegt ze en ze wijst naar een bankje even verderop. 'Ik heb eigenlijk wel honger gekregen.'
De meiden wandelen naar het bankje waar Ambers vader zit.
'Hallo pap, hier zijn we weer,' zegt Amber.
'Zo, hebben jullie alles al gezien?' vraagt hij.
'Nee,' antwoordt Iris snel. 'Nog lang niet!'
'Nee pap, we hebben alleen een beetje trek gekregen,' zegt Amber, die nog helemaal niet naar huis wil.
'Dat komt goed uit, je moeder heeft van alles in deze rugzak gestopt!' antwoordt haar vader. En in een handomdraai tovert hij lekkere broodjes, krentenbollen, appels en wat te drinken uit de tas te voorschijn. Hongerig pakken Amber en Iris een broodje en gaan ook op het bankje zitten. Al etend kijken ze naar de Snorrrr-show even verderop.
'Wat kunnen we nu nog bekijken, pap?' vraagt Amber.
'We kunnen nog wel even naar de Odiezee gaan, nog een

show met dolfijnen, maar een hele speciale,' zegt haar vader. 'Of zijn jullie het hier al een beetje zat?'
De meiden schudden heftig nee.
'Oké dan, zijn jullie klaar met eten?' vraagt hij en kietelt Amber even in haar zij. Die springt op en begint te rennen. 'Wie er het eerste is!' roept ze.

'Kom dames,' zegt Ambers vader als ze bij de ingang van de Odiezee staan. 'We gaan hier eerst even naar beneden.
Nieuwsgierig lopen de meiden achter hem aan. Als ze beneden zijn, valt Ambers mond open van verbazing. 'Moet je kijken,' zegt ze zachtjes. 'Hier zie je dolfijnen onder water zwemmen...'
Langzaam loopt ze naar voren en drukt haar neus tegen het grote raam. Een nieuwsgierige dolfijn zwemt langs haar heen.
'Dag lieve dolfijn,' zegt Amber.
Het dier draait zich om en komt weer naar haar toe zwemmen. Vlak voor Amber blijft hij stilliggen. Met zijn kleine oogjes kijkt hij haar recht aan.
'Hij kijkt naar je,' fluistert Iris.
'Ja,' mompelt Amber gelukkig, en ze begint een heel verhaal tegen het dier te vertellen. 'Dag lieve dolfijn, ben je lekker aan het zwem...?'
'Amber, kijk daar,' roept Iris plotseling.
Vanuit de verte doemt een grote, donkere gestalte op. Hij ziet er log uit, maar beweegt toch sierlijk door het water. Langzaam komt hij dichterbij en dan zien de meiden dat het een walrus is.

'Jeetje, ik wist niet dat walrussen zo mooi konden zwemmen,' zucht Iris. 'Kijk nou toch, het lijkt wel een balletvoorstelling zoals hij zwemt.'
Maar Amber hoort nauwelijks wat haar vriendin zegt, ze heeft alleen maar oog voor de dolfijn vóór haar. 'Dag lieve dolfijn,' zegt ze nog een keer.
Het dier tikt met zijn neus tegen het raam.
'Zag je dat,' zegt Amber enthousiast. 'Het was net of hij me een kusje gaf...'
Iris moet er om lachen, die Amber heeft wel veel fantasie! Maar dan ziet ze dat de dolfijn het nog een keer doet. Amber geeft een kusje op de ruit en de dolfijn tikt precies op die plek met zijn neus tegen het raam.
'Oké dames,' klinkt ineens de stem van Ambers vader. 'Het is tijd om verder te gaan.'
'Hè, toe nou pap, nog even,' vraagt Amber.
'Maar willen jullie de dolfijnen boven niet zien? Het schijnt een heel speciale show te zijn, waar je dromen uitkomen,' zegt hij geheimzinnig. 'Ik zou toch maar mee naar boven gaan.'
Nu worden Amber en Iris nieuwsgierig en snel lopen ze met Ambers vader mee.
Boven zoeken ze een mooi plekje en wachten tot de show begint. Dat duurt gelukkig niet lang! Daar komen de trainers al aan. Snel zwemmen de dolfijnen naar de kant om de trainers gedag te zeggen. Hun koppen steken boven het water, terwijl ze kirrende geluiden maken. Van elke trainer krijgen ze een aai over hun neus.
Dan gaat de show beginnen: de dolfijnen springen en

zwemmen met het grootste plezier. De meiden kijken hun ogen uit.
Plotseling stoppen de dieren en zwemmen weer naar de kant.
'Hè, is het nu al afgelopen,' moppert Iris.
Ze heeft het nog niet gezegd, of een van de trainers roept dat ze wel wat hulp kunnen gebruiken. Hij kijkt naar het publiek. 'Is er vandaag toevallig iemand jarig?' vraagt hij.
Iris springt op en roept heel hard: 'Ja, ja, zij hier!' Ze wijst naar Amber.
Verbaasd kijkt Amber naar Iris.
'Wil de jarige dame alsjeblieft naar mij toe komen?' vraagt de trainer.
Iris geeft Amber een duw. 'Je moet naar de trainer toe,' zegt ze, 'volgens mij mag jij hem helpen met de dolfijnen!'
Amber is nog steeds overrompeld en moet door Iris vooruit worden geduwd. Dan dringt het plotseling tot haar door: ze mag naar de dolfijnen! Ze versnelt haar pas en staat in een mum van tijd naast de trainer.
'Dag dame, mag ik vragen hoe je heet?' vraagt de man.
'Eh... Amber,' zegt ze stamelend.
'Nou Amber, allereerst gefeliciteerd met je verjaardag. Maar wat ik je wil vragen is of je mij wilt helpen met de dolfijnen. Ze luisteren niet zo goed meer naar mij, maar misschien wel naar jou,' gaat de trainer verder. 'Wil je ze anders eerst een visje geven?'
Hij pakt de emmer en houdt die voor Amber. Voorzichtig pakt ze er een visje uit.
'Houd het maar voor zijn bek,' zegt de trainer.

Amber doet wat hij zegt en de dolfijn doet zijn bek open. Ze laat het visje naar binnen glijden en de dolfijn zwemt daarna snel weg. De volgende dolfijn neemt zijn plaats in. En zo geeft Amber alle dolfijnen een visje.
'Nu gaan we met ze spelen,' zegt de trainer en hij geeft Amber een bal. 'Gooi hem maar omhoog, boven het water.'
Amber gooit de bal weg en ziet vanuit haar ooghoeken hoe het water rimpelt. Plotseling springt er een dolfijn omhoog, die de bal met zijn bek opvangt. Het dier zwemt naar Amber toe en geeft haar de bal.
'Dank je wel, lieve dolfijn,' zegt ze en ze aait hem over zijn snuit.
'Hier,' zegt de trainer, 'geef hem ook maar een visje.'
Ambers vader en Iris kijken hun ogen uit hoe Amber met de dolfijnen speelt. Als ze klaar is klappen ze om het hardst.
Even later staat een glunderende Amber weer naast Iris. 'Ongelofelijk cool, joh,' zegt ze. 'Super gewoon, mijn dag kan niet meer stuk.'

Ze lopen verder door het Dolfinarium. Iris ziet weer een trainer die met een groep zeeleeuwen bezig is.
'Kom! Wie er het eerste is!' roept ze.
Amber sprint achter Iris aan en even later staan ze stil bij een grote groep zeeleeuwen. Het zijn heel bijzondere dieren. Ze houden erg van spelen, maar zijn ook best gevaarlijk! De trainer vertelt over hoe hij de dieren traint: op afstand. En natuurlijk laten hij en de dieren zien wat ze kunnen!
Amber en Iris klappen om alles wat de zeeleeuwen laten zien.

Ambers vader loopt achter de meiden aan en glimlacht. Het is een geslaagde dag, vindt hij zelf.
Dan gaan ze naar de laatste twee dingen die ze willen bekijken. Ze leren wat het verschil is tussen een grijze zeehond en een gewone zeehond. En ze krijgen antwoord op vragen of alle babyzeehondjes wit zijn als ze geboren worden. Ze zien hoe de zeehond een salto leert maken en ze proberen alles voor Umberto te onthouden. Als laatste kijken ze naar de kleine dolfijn, de bruinvis! Er wordt van alles verteld over de geluiden die ze maken. En hoe ze met elkaar communiceren. Het is allemaal prachtig, maar ook erg vermoeiend.
'Zullen we als laatste nog even naar de souvenirwinkel gaan?' stelt Ambers vader tenslotte voor. 'Daar mogen jullie iets moois uitzoeken en dan gaan we weer terug naar huis. Ik geloof dat jullie nu wel moe zijn,' stelt hij vast.
De meiden knikken. Ze hebben zoveel indrukken opgedaan dat ze inderdaad doodmoe zijn.
In de souvenirwinkel zien ze allerlei leuke dingen, het is moeilijk om te kiezen! Uiteindelijk slagen ze er in iets leuks uit te zoeken. Amber heeft een babydolfijn gekozen en Iris een zeeleeuw.
'Oh pap, het is een superfijne dag geweest! Dit is het mooiste cadeau ooit!' zegt Amber stralend. En ze geeft haar vader een dikke zoen. 'Dank je wel!'

2 Een sms'je

Een week later lopen Amber en Iris over de markt – de moeder van Iris doet boodschappen en zij zijn mee. Ze raken maar niet uitgepraat over hun bezoek aan het Dolfinarium. Al die dieren en vooral de dolfijnen. Maar het mooiste vonden ze Odiezee, toen Amber mocht helpen met de show! Ze weten het nu zeker, ze willen snel weer dolfijnen zien!
'Zullen we een ijsje halen?' stelt Iris voor. De meiden hebben geld gekregen om iets lekkers te kopen.
'O ja, zo'n lekker ijsje met van die spikkels erop!' antwoordt Amber.
'Deal!' lacht Iris.
Samen lopen ze verder, op zoek naar een ijsje.
'Kijk, daar staat een ijscokar,' zegt Amber ineens en ze trekt haar vriendin mee naar de kar.
'Doet u er maar eentje met spikkels en de andere met nootjes alstublieft!' zegt Iris tegen de verkoper. Ze kijken hoe de man hun ijsjes klaar maakt.
'Dat is dan twee euro vijftig!' zegt hij.
'Alstublieft,' zegt Iris als ze de man het geld geeft.
De meiden slenteren over de markt terwijl ze hun ijsje eten.

'Hoe zou het eigenlijk met Umberto zijn?' vraagt Amber plotseling. 'Ik heb al een hele tijd niets meer van hem gehoord.' [Lees deel 1: *Het geheime eiland*.] Ze propt het laatste stuk van haar ijsje in haar mond. Iris kijkt haar aan en begint te grijnzen. Amber ook, maar dat gaat natuurlijk niet met al dat ijs in haar mond. Snel duwt ze een stuk van het hoorntje terug in haar mond, waarop Iris in de lach schiet.
'Handig!' wijst ze. 'Met je mond vol beginnen te lachen!'
Amber knikt vrolijk en haar paardenstaart wiebelt vrolijk mee op haar hoofd.
'Umberto is trouwens ook lang weg geweest van huis, als dolfijnentrainer in een dolfijnencentrum in Amerika,' zegt Amber. 'Ik ben benieuwd hoe het met hem gaat.' [Lees deel 2: *Red de dolfijn*.] 'Zo lang weg van huis, dat is dus echt niets voor mij, ik zou allang heimwee hebben gehad,' voegt ze eraan toe en veegt haar mond af met de rug van haar hand.
Iris knikt en likt verder aan haar ijsje. 'Volgens mij heeft hij geen last van heimwee. Altijd bezig met dolfijnen en dan ook nog het hotel van zijn vader. Hij mailde me laatst dat hij weer in Italië was, voor een paar weken,' zegt ze.
'Wat is het al weer lang geleden dat we in Italië waren, hè Iris!' mijmert Amber.
Ze denken terug aan hun ontmoeting met Umberto, hun dove Italiaanse vriend. Zijn vader heeft een hotel in Italië. Dat hotel was eerst heel saai, maar gelukkig is er veel veranderd. Er is een echte disco gekomen en een groter zwembad. Er is nu veel meer te doen voor kinderen van hun leeftijd. Umberto is een bijzondere vriend, denkt Amber. Ze neemt

zich voor om hem straks even een mailtje te sturen. Dan schrikt ze op uit haar gedachten.
'Kijk!' roept Iris. 'Daar heb je Samson!' Ze rent snel naar hem toe en groet hem vrolijk.
Samson is een klasgenoot van de meiden, ze trekken veel met elkaar op. Ze maken bijna iedere week samen huiswerk en werken ook samen aan projecten.
Hun laatste project gaat over dolfijnen. Ze willen de kinderen in hun klas vertellen over welke dieren er allemaal in de oceanen leven. En welke gevaren er voor deze dieren dreigen. Ze maken een uitgebreide presentatie met een hele diashow erbij. Allemaal dia's van dolfijnen en andere zoogdieren van de oceanen. Hoewel Samson al veel over dolfijnen wist, heeft hij toch nog veel geleerd. Ook zijn moeder vindt het een heel interessant onderwerp en heeft er veel over gevraagd. Samsons moeder komt uit Ethiopië, zijn vader gewoon uit Nederland.
'Alles goed?' vraagt Iris.
'Alles goed,' glimlacht Samson.
'Is je moeder ook boodschappen aan het doen?' vraagt Iris nieuwsgierig.
'Ja, daar staat ze, bij die kraam.' Een mooie donkere vrouw draait zich net om en komt naar het groepje toegelopen.
'Dag Amber, dag Iris,' groet Samsons moeder. 'Gaan jullie vanmiddag met Samson nog die T-shirts ophalen?'
'Dag mevrouw,' groet Amber netjes terug. 'O ja, dat is waar ook. Ik was het bijna vergeten. Die dolfijnen-T-shirts om aan te doen tijdens onze presentatie. Hoe laat zullen we afspreken?'

'Over een uurtje bij jou thuis,' oppert Iris. 'Mijn moeder zal zo ook wel klaar zijn met boodschappen doen.'
Amber knikt instemmend.
'Ik vind het prima,' antwoordt Samson.
'Goed, dan zien we elkaar zo weer. Tot straks!' zegt Iris en ze zwaait naar Samson en zijn moeder, die weer verder lopen.
'Wat is het toch een leuke jongen,' merkt Iris op. 'Hij is altijd zo vrolijk.'
Amber grijnst. 'Oh! Is het met mij niet zo gezellig dan?' plaagt ze Iris.
Verschrikt kijkt Iris naar Amber. 'O nee, maar zo bedoelde ik het niet!' reageert ze. Dan pas ziet ze dat Amber staat te grijnzen.
'Ha, ik had je mooi te pakken!' lacht Amber.
'Dag dames,' horen ze ineens een bekende stem zeggen. Tegelijk draaien ze zich en botsen bijna tegen Iris' moeder op. 'Ik ben klaar voor vandaag. Gaan jullie mee?'

De meiden staan klaar voor het huis van Amber. Ze wachten op Samson. Ambers moeder komt naar buiten gelopen.
'Hoe lang zijn jullie weg, dames?' vraagt ze.
'Niet zo lang, een uurtje denk ik, mam,' antwoordt Amber.
Iris is al drie keer op haar fiets gestapt. Ze is ongeduldig. 'Waar blijft Samson nou?'
Precies op dat moment komt Samson de hoek om fietsen. Niet op een omafiets, die bijna iedereen op school heeft, maar op een oude, gewone fiets. Toch is het een opvallende fiets: hij is groen, geel en rood geverfd. Het zijn de kleuren van Ethiopië.

‘Hoi!’ begroet hij de meisjes.
‘Hoi, zullen we meteen gaan?’ oppert Iris. Ze is weer op haar fiets gestapt en staat klaar.
‘Mag je wel naar het centrum fietsen van je moeder?’ vraagt Samson. ‘Volgens mij vindt ze dat niet goed, daar zei ze laatst toch iets over?’
Iris knikt. ‘Dat klopt, ik mag niet alleen, maar wel als ik met een groepje ga. En wij,’ ze telt met haar vingers en steekt er drie omhoog, ‘wij zijn een groepje!’
Ze lachen en stappen op hun fietsen. Onderweg praten ze honderduit. Over vakantie, over zwemmen met dolfijnen, over Umberto en Nils, die de vorige vakantie mee mocht naar Curaçao [Lees deel 3: *Avonturen op Curaçao*].
‘Ik zou ook wel eens met dolfijnen willen zwemmen,’ zucht Samson.
‘Dat kan toch?’ zegt Amber. ‘Misschien kun je wel een keertje met ons mee op vakantie. Sinds Iris en ik vorige week naar het Dolfinarium zijn geweest weten we zeker dat we weer met dolfijnen willen zwemmen. En ik helemaal, nu ik met ze heb mogen spelen! Het is nu officieel, Iris: dit jaar kiezen we een bestemming waar dolfijnen zijn.’
‘Maar wat denk je dat dat kost?’ stamelt Samson.
‘Dat ligt er natuurlijk aan waar we naar toe gaan deze vakantie. Heb jij al een bestemming bedacht, Iris?’ Amber kijkt haar vriendin aan.
Iris kijkt voor zich en stopt voor het stoplicht. Terwijl ze wachten tot het licht groen wordt, zegt Iris: ‘Ik weet het nog niet. Maar we kunnen straks als we terug zijn wel wat bedenken?’

'Dat is een goed plan!' antwoordt Amber.
'Deal!' zegt Iris enthousiast.
'Oké,' zegt Samson zachtjes. Hij weet helemaal nog niet of hij wel mee kan.

Even later staan ze voor de winkel met de T-shirts. Ze zetten hun fietsen op slot en lopen nieuwsgierig naar binnen.
'Wat kan ik voor jullie betekenen, jongens?' vraagt de verkoper.
'En meiden!' grapt Iris.
De man lacht en zegt: 'Wat kan ik voor jullie betekenen, jongen en meiden?'
'We zijn op zoek naar drie mooie T-shirts met dolfijnen erop,' vertelt Samson. 'Ik ben van de week al even langs geweest en heb gezien dat u er wel een paar heeft.' Hij kijkt de man vrolijk aan.
'Dat klopt ja, dat was jij!' De verkoper loopt voor de kinderen uit naar een klein rek met T-shirts. 'Alsjeblieft!'
Ze kijken hun ogen uit. Een heel rek vol met T-shirts met dolfijnen! De een is nog mooier dan de ander. Er is zoveel keuze dat ze ieder een paar T-shirts gaan passen. Kijken welke het mooist is.
Iris komt als eerste het pashokje weer uit. 'Kijk eens hoe mooi!' roept ze verrukt als ze in de spiegel kijkt. Ze wijst op de prachtige dolfijn die op haar T-shirt staat afgebeeld.
'En deze dan!' Amber kijkt ook in de spiegel. Op haar T-shirt staan drie dolfijnen.
'En die van mij?' wil Samson weten. Hij kijkt de meisjes vragend aan.

'Wow, dat is pas een cool shirt, man!' Iris wijst enthousiast naar Samson. Amber draait zich om en ziet op Samsons T-shirt een orka staan.
'Ik doe deze,' zegt hij resoluut.
'Ja, die is echt prachtig, die zou ik zeker doen,' zegt Iris.
'Welke zal ik doen, deze of die ik aan heb?' Amber houdt een ander T-shirt omhoog.
'Die je nu aan hebt vind ik mooier.' Iris kijkt goedkeurend naar haar vriendin.
'En ik?' Ze houdt haar andere T-shirt omhoog met daarop een dolfijn die net zijn kop boven het water uitsteekt.
'Die je nu aan hebt!' zeggen Samson en Amber tegelijk.
'Oké, dan zijn we klaar!'

Glunderend staan ze even later weer buiten.
'We zijn goed geslaagd, hè!' begint Samson.
'Zeker, die presentatie wordt helemaal te gek!' zegt Iris.
Lachend lopen ze naar hun fietsen en rijden terug naar het huis van Amber. Ze rennen meteen naar boven, naar Ambers kamer. Ze gaan een bestemming voor de vakantie verzinnen!
'Naar welk land zouden jullie graag op vakantie willen?' vraagt Samson aan de meisjes. 'Als ik mocht kiezen dan wist ik het wel!'
'O ja,' zegt Iris, 'waar zou jij dan naar toe willen?'
'Naar Bali,' antwoordt Samson. 'Het lijkt me prachtig daar. Mooie tempels en schitterende witte en zwarte stranden!'
'Ik zou Nepal kiezen,' zucht Amber. 'Maar ik denk niet dat mijn ouders daar naartoe willen.'

'Waarom Nepal?' vraagt Samson nieuwsgierig.
'Wat dacht je van de Himalaya, met die enorme, hoge bergen? En je hebt er ongelofelijk veel mooie boeddhistische tempels. Ik heb daar wel eens foto's van gezien en het zag er indrukwekkend uit.' Amber stopt even. 'Het lijkt me hartstikke gaaf om daar door de bergen te wandelen.'
'Maar daar zijn toch geen dolfijnen?' komt Iris ineens tussenbeide.
Amber en Samson moeten lachen.
'Wat is er zo grappig?' klinkt Iris verbaasd.
'Nee, dat is inderdaad zo, daar had ik even niet aan gedacht. Oké, dan bedenken we vanaf nu alleen nog een land waar wel dolfijnen zijn. Want we willen weer met dolfijnen zwemmen, toch?' oppert Amber.
'Oké, wat is er verder nog leuk?' vraagt Iris.
'New York!' antwoordt Samson grijnzend.
'Nee joh, je moet een land noemen waar dolfijnen zijn!'
'Ik weet het!' gaat Samson enthousiast verder. 'De Noordpool, daar zwemmen allerlei beesten, vast ook wel dolfijnen!'
Nu moeten Amber en Iris lachen.
'Welnee joh!' hikt Amber van het lachen, 'daar heb je volgens mij alleen maar zeeleeuwen en ijsberen! En bovendien is het daar veel te koud.'
'Goed, serieus dan,' zegt Samson. ' Wat vinden jullie van Mexico? Ik heb gehoord dat daar ook dolfijnen zijn!'
'Mexico...' herhaalt Amber zachtjes. Daar heeft ze nog nooit aan gedacht!
Al snel gaat het gesprek over wat Amber en Iris samen op vakantie al hebben meegemaakt. Eerst vertellen ze over hun

avontuur met Umberto in Italië, daarna in Amerika met Greenpeace en dan over Curaçao. Ze vertellen honderduit, over hoe ongelooflijk mooi het is om dolfijnen te zien en met ze te zwemmen, ze te leren kennen. Samson luistert geboeid. Het is zijn liefste wens om ook een keer met dolfijnen te zwemmen.

'Weet je dat dolfijnen heel slimme dieren zijn? Ze kunnen bijvoorbeeld precies aanvoelen of je in nood bent,' vertelt Amber.

'Ja, toen Amber overboord sloeg, werd ze door een dolfijn gered!'

'En Hero, ons hondje in Italië, werd in de grot door de dolfijn van Umberto gered!' voegt Iris er enthousiast aan toe.

'Waar is dat hondje nu? Ik heb hem nog nooit bij jullie gezien,' zegt Samson.

'Hero is bij Umberto gebleven. Weet je, Amber,' zegt Iris, 'we kunnen wel aan Umberto vragen of hij Hero een keer meeneemt als hij ons komt opzoeken. Dat zou gaaf zijn!'

'Maar hoe praten jullie eigenlijk met Umberto, hij is toch doof?' Samson kijkt peinzend voor zich uit.

'O, maar je kan heel goed met hem praten hoor!' antwoordt Iris.

Amber knikt.

'Hij kan liplezen, dat betekent dat hij alles wat je zegt kan lezen aan je mond. Maar je moet hem dan wel recht aankijken, anders lukt het niet. En we praten Engels met hem, en met gebaren,' besluit Iris.

'Zien jullie Umberto binnenkort weer?' vraagt Samson. 'Ik ben nu wel nieuwsgierig! Het lijkt me leuk omdat hij

dolfijnen kan trainen. Hij weet er vast veel over te vertellen. En weten jullie, mijn droom is om ook een keer met dolfijnen te zwemmen.'
'Wij dromen er ook van om met dolfijnen te zwemmen, ze dingen te mogen en kunnen leren. Ik was als klein kind al gek van dolfijnen. Ik had zelfs een kamer met dolfijnenbehang en dolfijnenknuffels in mijn bed!' reageert Amber enthousiast.
'Ik ook!' gilt Iris lachend. 'Nou ja, die knuffels dan, ik had behang met Bambi erop!' Iris lacht zelf het hardst.
'Mensen zijn altijd geboeid door dolfijnen,' zegt Samson wijs, als ze uitgelachen zijn. 'Apart hè, dat die dieren zo'n aantrekkingskracht hebben op mensen. En zo lang al.'
Plotseling klinken er twee harde, korte tonen.
'Een sms'je,' zegt Amber. 'Eens kijken van wie...' Ze pakt haar mobieltje te voorschijn en kijkt wie het berichtje heeft gestuurd. 'Nou ja, zeg. Dat is toevallig. Het is van Umberto!' Snel leest ze het berichtje. 'Hij komt naar Nederland! In de vakantie. En hij vraagt of hij bij ons mag logeren! Yeah! Iris! Umberto komt echt!'
De twee vriendinnen geven elkaar een high-five en vallen elkaar dan om de nek. Samen doen ze een vreugdedansje door de kamer.
'O Amber, vraag eens of hij Hero dan ook meeneemt.' Iris gebaart haar het te sms'en. Het duurt niet lang of ze krijgen al antwoord.
'Wat sms't hij, toe lees nou!' reageert Iris opgewonden. Ze zou het geweldig vinden om het hondje waar ze zoveel mee hebben beleefd weer te zien.

'Hij zegt dat hij eerst moet kijken of hij met Hero zomaar het land in mag, maar als dat mag neemt hij Hero mee.'
'Volgens mij mag dat wel, als die hond maar de nodige inentingen heeft,' zegt Samson. 'Ik heb een oom die laatst een zwerfhond vanuit Spanje heeft meegenomen. Die heeft daar allerlei injecties gekregen en zo, en toen was het geen probleem'.
'Ik hoop zo dat Hero mee mag!' Amber knijpt Iris in haar hand. 'Stel je voor Iris, Hero weer in onze armen. Zou hij veel groter gegroeid zijn? Wat denk je?'
Iris haalt haar schouders op en zucht. 'Vast wel, hij was nog maar klein toen we hem leerden kennen. Wat zou het leuk zijn als Umberto én Hero komen!'

3 De bestemming...

Amber ligt op haar bed en denkt na. Gisteren heeft ze aan haar ouders gevraagd of Umberto en Hero voor een paar weken bij hen mogen logeren. Haar moeder reageerde heel enthousiast en ook haar vader zei meteen 'ja hoor'. Ze is blij dat haar ouders niet zo moeilijk zijn met dit soort dingen. Maar het zal ook wel komen doordat we een groot huis hebben met ruimte voor meerdere logees. En omdat we zelf geen hond hebben, is dat natuurlijk ook leuk voor de verandering, mijmert ze.
Wat fantastisch dat Umberto komt, denkt ze glimlachend. En helemaal geweldig als Hero ook meekomt!
Sinds haar vader veel geld heeft geërfd van een dove oom, is hun leven behoorlijk veranderd. Vroeger gingen ze maar een keer per jaar op vakantie, maar nu soms wel drie keer! Amber mag bijna altijd kiezen waar ze naartoe zullen gaan. En het leukste is wel dat Iris altijd mee mag. Eigenlijk is het net alsof Iris familie is, ze hoort gewoon bij Amber.
Amber kijkt op de wekker naast haar bed en ziet dat het al bijna tien uur is! Jeetje, heeft ze zo lang liggen suffen, daarnet was het nog maar half negen! Nou ja, denkt ze, vandaag

hoef ik toch niet naar school. Studiedag van de leraar.
Ze slingert haar benen over de rand van haar bed en loopt naar het raam. Luid geeuwend schuift ze het gordijn open. Als ze naar buiten kijkt, ziet ze beneden haar buurjongen Nils.
'Hé Amber!' groet hij. 'Alles goed? Je ziet eruit alsof je haren ontploft zijn!' Nils schatert, en Amber schuift geschrokken het gordijn weer dicht. Jongens, denkt ze!
Amber sloft naar de badkamer en kijkt in de spiegel. Dan schiet ze in de lach. Nou, denkt ze grijnzend, nu snap ik waarom Nils dat vroeg. Moet je mijn haren zien, dat ziet er niet uit. Vlug haalt ze haar handen door haar haar in een poging het een beetje te fatsoeneren. Dan loopt ze de trap af naar beneden, naar de keuken. Ze doet het kastje boven het aanrecht open en bekijkt welk beleg ze op haar brood zal doen. Hmm! Pindakaas met nootjes!
Even later zit ze met een boterham met pindakaas voor zich aan tafel.
'Hé, je bent wakker. Wil je een kop thee, Amber?' vraagt haar moeder als die binnenkomt. 'Ik heb net water gekookt.'
'Mmm, lekker mam. Mag ik dan zoethoutthee?'
Haar moeder knikt en zet een schoteltje met een zakje zoethoutthee en een beker heet water voor Amber neer.
'Mam?'
'Ja, Amber?'
'Wanneer weet je nou of je echt iets wilt of niet? Ik bedoel, wanneer weet je nou of het goed is wat je kiest of niet?'
Ambers moeder gaat ook aan tafel zitten en kijkt haar dochter vragend aan. 'Hoe bedoel je?'

‘Nou, gewoon, ik vraag me af waar we naartoe zullen gaan met vakantie en hoe ik kan weten of het een goede keuze is.’
‘Nou, dat is toch niet zo moeilijk?’ antwoordt haar moeder. ‘Je bedenkt eerst wat je wilt gaan doen. Jullie willen bijvoorbeeld met dolfijnen zwemmen. Dan kijk je dus niet naar bestemmingen waar geen zee is. Een heleboel bestemmingen vallen dan al af. Kijk anders eens op internet waar je met dolfijnen kan zwemmen. Ik weet dat het in Israël kan. Of je gaat naar het reisbureau en haalt wat reisgidsen op. In die gidsen staan altijd mooie foto’s en zo kan je zien wat je het leukst vind. Er zit ook een uitgebreide beschrijving van het hotel bij, niet onbelangrijk lijkt me. En vervolgens maak je een keuze.’
De deurbel verstoort hun gesprekje. Door de brievenbus horen ze de stem van Iris. ‘Hallooooo, ben je daar Amber?’
Ambers moeder loopt naar de voordeur en doet open.
‘Goedemorgen,’ valt Iris zoals gewoonlijk met de deur in huis.
‘Dag Iris. Amber zit in de keuken een broodje te eten, loop maar door.’
Iris loopt met grote passen naar keuken, waar Amber net haar mond heeft volgepropt. Ze probeert niet te lachen, maar als Iris haar ziet en in de lach schiet, doet ze vrolijk mee. Al proestend probeert ze de boterham binnen te houden.
‘Amber van Delden!’ zegt haar moeder. ‘Doe nou een keertje normaal. Zo heb ik je toch niet opgevoed?’

Amber probeert wat te zeggen, maar verder dan een scheve grijns komt ze niet.
Haar moeder schudt haar hoofd. Die meiden ook!
'Sorry, mam,' mompelt Amber even later als ze haar mond weer leeg heeft.
'Het is goed,' lacht haar moeder. 'Nou vooruit, ga je eens wassen en aankleden, het is al bijna half elf!'
De meisjes lopen de trap op naar boven. En terwijl Amber snel onder de douche springt, praat Iris aan één stuk door. Over Umberto en Hero natuurlijk en over de vakantie.
'Heb jij nog nagedacht waar we naar toe kunnen gaan?' vraagt Amber.
'Naar Griekenland?' oppert Iris. 'Of Spanje?'
'Hebben ze daar dolfijnen?' reageert Amber. Ze pakt de föhn om haar haren te drogen. 'We kunnen natuurlijk ook naar M...' Maar het geluid van de föhn overstemt wat Amber zegt. Iris probeert met gebarentaal duidelijk te maken dat ze er niets van heeft verstaan. Amber trekt een grimas en steekt vier vingers op. Iris gaat op het bed zitten en kijkt hoe haar vriendin haar haren droog föhnt. Na een paar minuten is ze klaar.
'Binnen vier minuten, vind je dat niet knap!' lacht ze en ploft naast Iris op bed.
'Wat zei je nou? Waar kunnen we naartoe op vakantie?' vraagt Iris nieuwsgierig.
'Naar Mexico!' roept Amber enthousiast.
'Daar had Samson het gisteren over ja, maar is dat niet heel ver? En zijn daar echt wel dolfijnen?'
'Vast wel! We gaan het gewoon uitzoeken,' antwoordt

Amber beslist. Ze slaat een arm om haar vriendin heen en knijpt haar even in haar bovenarm.
'Wat goed hè, dat jij altijd mee mag met ons. Zonder jou zou het lang zo leuk niet zijn!'
Iris knikt vrolijk. 'Ja, hartstikke super van je ouders! Ik ben altijd weer blij als ik met jullie mee mag. Jeetje, Mexico, dat klinkt wel goed. Zullen we Samson even bellen en vragen of hij meegaat om wat folders te halen? Ik ben reuze benieuwd wat er allemaal te zien en te beleven valt in Mexico. Ik ken het eigenlijk alleen maar van de burrito's, tortillachips en van die grote Mexicaanse hoeden, de sombrero's.'
De stem van Ambers moeder onderbreekt hun gesprek.
'Amber, kun je even komen? Ik heb de vader van Umberto aan de telefoon. Hij wil je nog even spreken.'
Amber schiet overeind en rent met Iris in haar kielzog naar de trap. Ze glijdt via de trapleuning naar beneden, Iris roetsjt achter haar aan.
Beneden pakt ze de telefoon uit haar moeders hand.
'Hello? Yes, this is Amber,' begint ze. Er wordt druk gepraat aan de andere kant van de lijn en luid ook, Iris kan de stem van Umberto's vader goed horen. Ze grijnst. Ze ziet hem helemaal voor zich: druk gebarend, echt Italiaans, en met veel woorden iets uitleggen dat je als Hollander in drie zinnen kan vertellen.
Amber haalt haar schouders op en zucht even. Het geratel aan de andere kant houdt nu ook op.
'Hello? Amber? Are you still there?' Amber drukt de hoorn weer tegen haar oor en geeft antwoord. Weer klinkt er een harde stem door de hoorn en Amber probeert alles zo goed

mogelijk te volgen. Na bijna vijf minuten klinkt er ‘Ciao,’ en ook Amber groet. Dan hangt ze op.
‘Jeetje, wat praat die man toch enorm hard!’ zegt ze. ‘Ik heb er een suisoor van!’
Ambers moeder en Iris moeten lachen.
‘Maar vertel,’ begint Iris nieuwsgierig. ‘Wat had hij allemaal te zeggen?’
‘Umberto komt! En Hero! Ze zijn bezig een ticket te regelen, en mijn ouders hebben met Umberto’s vader afgesproken dat hij mee mag op vakantie! Super hé! En jij wist hier al van, hè mam?’
‘Huh, hoe bedoel je?’ Haar moeder doet net alsof ze van niets wist. ‘Gingen jullie niet naar het reisbureau om gidsen en folders te halen? Dan kunnen jullie uitzoeken waar we naar toe gaan dit jaar.’
‘O mam, jullie zijn fantastisch!’ Amber kijkt haar moeder stralend aan. ‘We gaan nu wel even folders halen. We bellen Samson even, vragen of hij ook meegaat. Gezellig. En o ja, het is al bijna zeker, we willen naar Mexico. Tot straks!’
En voordat Ambers moeder iets kan zeggen, valt de voordeur al in het slot. Ze schudt haar hoofd. Mexico, denkt ze. Dan draait ze zich om en loopt naar de keuken.
De meiden staan buiten en bellen naar Samson. Hij komt ook naar het reisbureau.
Als Amber en Iris daar aankomen, staat hij al op hen te wachten.
‘Hoi!’ wordt er enthousiast gegroet. Met z’n drieën kijken ze naar de borden met aanbiedingen in de etalage: Spanje, Italië, Zuid-Afrika.

'Kijk hier, veertien dagen all in naar Egypte voor maar 479 euro! Dat is ook niet duur,' vindt Iris. Ze staart weer naar de etalage.
'Ik zie nergens een reis naar Mexico,' zegt Amber verbaasd. 'Dat zullen ze toch wel hebben?'
'Laten we maar naar binnen gaan, dan vragen we het,' oppert Iris.
Het is druk in de winkel. Veel mensen willen nu een reis boeken, de vakantie komt al snel dichterbij! De meisjes achter de balies zijn allemaal bezig.
Ze gaan zitten en pakken wat reisgidsen die ze op het tafeltje zien liggen.
'Palmen, strand, heldere zee. Hier kunt u nog ouderwets genieten,' leest Iris voor.
'Nee, deze dan,' zegt Amber. 'Parelwitte stranden en prachtige boulevards strekken zich voor u uit. Hier hoeft u zich geen seconde te vervelen. Ook voor de jeugd is er van alles, van disco tot watersporten.'
'Of dit: wilt u rustig genieten van hagelwitte stranden, rust en veel zon?' leest Samson. 'Dan...'
'Die mevrouw gaat weg, dan zijn wij aan de beurt,' onderbreekt Iris hem. Ze staan op en lopen naar de balie.
'Wat kan ik voor jullie doen?' vraagt het meisje achter de balie.
'Hebt u ook reisgidsen over Mexico?' vraagt Amber.
'Wat voor reis willen jullie maken?' informeert het meisje.
'Naar de zee, we willen graag met dolfijnen zwemmen. We gaan met zijn allen. Mijn ouders willen in ieder geval een mooi strand, een goed hotel en lekker eten en drinken.'

Het meisje knikt en loopt naar de wand achter haar. Daar liggen enorm veel reisgidsen. Ze pakt er een paar en loopt terug naar de balie.
'Kijk,' ze slaat de gids open, 'hier vind je alle bestemmingen in Mexico.'
'Nou, dat is mooi. Mogen we de gidsen zo meenemen of moeten we daar iets voor betalen?' vraagt Iris beleefd.
'Jullie mogen ze zo meenemen, maar ik zou het fijn vinden als jullie ze weer terug willen brengen als jullie weten waar jullie heen willen. Dan kunnen wij ze weer aan andere mensen meegeven,' besluit ze.
'Dat is prima!' Amber bedankt het meisje en loopt samen met Iris en Samson de winkel uit. Ze hebben nu alle drie een dikke reisgids in hun hand en bladeren erin terwijl ze teruglopen naar hun fiets.
'Moet je kijken, Iris!' Amber wijst enthousiast naar een foto van een prachtig hotel en een enorm groot zeeaquarium.
'Wauw!' antwoordt Iris. 'Waar is dat?' Amber leest het voor, terwijl Samson en Iris luisteren. Langzaam dwaalt Samson af met zijn gedachten. Hij mijmert over mooie witte stranden en dolfijnen die hem iedere morgen begroeten. Stel je eens voor dat dat waar kon zijn! Dan schrikt hij weer op en luistert naar Amber, die nog steeds voorleest.
'... zeeaquarium en dolfijnen in een bassin. Liefhebbers kunnen hier vrij zwemmen met hun lievelingsdieren, de dolfijnen!'
Samson luistert en wenst dat hij dat ook een keer mag meemaken. Stel je eens voor dat hij met de meiden mee mag op vakantie! Dat zou super zijn! Hij gaat het vanavond aan zijn

ouders vragen. Hij heeft tenslotte zelf ook spaargeld en misschien willen zijn ouders wel een deel betalen.
Amber schudt hem wakker uit zijn dromen. 'Hé Samson, zou het niet gaaf zijn als jij ook meegaat naar Mexico!'
Het lijkt wel of Amber zijn gedachten kan lezen, denkt hij.
'Ja, dat zou echt te gek zijn!' zegt Iris.
Ondertussen vraagt Samson zich af hoe zijn ouders zullen reageren. Zou hij mee mogen?

4 Met z'n allen?

De meiden liggen languit op het bed van Amber en kijken hun ogen uit.
Samson zit in het rode stoeltje van Amber en bladert zijn gids belangstellend door. Prachtige stranden, maar ook veel bergen, oude beschavingen van de Azteken, de Maya's... In Mexico is veel te zien.
'Dit vinden mijn ouders helemaal fantastisch!' merkt Amber lachend op. 'Strand, lekker eten, wat cultuur!' Ze leunt met haar kin op haar hand, terwijl ze haar vinger op de bladzijde houdt waar ze aan het lezen is.
'Kijk hier, wat hebben ze daar allemaal lekkere dingen om te eten!' Iris likt haar lippen af als ze naar de foto's kijkt.
'Wat is dat?' Amber wijst op een schaaltje met iets groens erin.
'Dat is, even kijken hoor,' Iris buigt zich wat dieper over haar reisgids en spelt dan: 'g-u-a-c-a-m-o-l-e, guacamole.'
'En dat is?' wil Amber weten.
Iris leest verder: 'Een verrukkelijke saus die gemaakt wordt van avocado, limoensap, pepers, fijngesneden tomaat, kruiden en knoflook. Mmm, dat lijkt me lekker!'

‘Wat eten ze daar nog meer?’ vraagt Amber. ‘Laat eens kijken?’ Ze trekt de reisgids van Iris naar zich toe en bekijkt de gerechten die op de foto’s staan.
‘Jeetje, dat ziet er echt goed uit! Ik krijg er honger van, kom!’
Samson kijkt op en grijnst, hij heeft altijd trek.
‘Laten we even naar beneden gaan, iets lekkers vragen aan mijn moeder.’
Ze staat op en trekt Iris aan haar hand omhoog. ‘Kom op, lui aapje, in Mexico kan je nog genoeg op je buik liggen niets doen.’
Lachend lopen ze achter elkaar de trap af.
‘Mam! Waar ben je?’ galmt Ambers stem door de keuken.
‘Ik ben buiten,’ roept haar moeder.
‘Mogen we alsjeblieft wat lekkers?’ vraagt Amber en ze trekt een keukenlade open om te kijken wat er is.
Haar moeder komt binnen lopen en pakt wat uit de la. ‘Wacht, ik pak het wel. Lusten jullie dit?’ Ze heeft een pak koekjes in haar hand.
‘Mmm, lekker, met chocolade.’
‘Neem er maar een paar mee naar boven. Willen jullie er ook wat thee bij of liever iets anders?’
‘We hebben nog drinken, mam, maar bedankt!’ Amber geeft haar moeder een dikke zoen op haar wang.
‘Kom Iris, Samson, we hebben nog heel wat te bekijken voordat we weten waar we naartoe gaan in Mexico.’
Even later zitten ze lekker te smullen van de koekjes. Ondertussen bladeren ze verder door de reisgidsen.
‘Moeten jullie luisteren,’ zegt Iris ineens. ‘Wisten jullie dat

Mexico uit eenendertig staten bestaat? En dat ze volgens deze gids honderdenacht miljoen inwoners hebben?'
Amber en Samson luisteren aandachtig.
'Dat zijn wel een heleboel mensen!' reageert Amber verbaasd. 'Ik wist niet dat het land zo groot was.'
'Hier staat verder dat er veel indiaanse invloeden zijn,' zegt Iris. 'Logisch, als je weet dat er eerst bijna alleen maar indianen woonden. Nu is de bevolking gemengd, met veel Spaanse invloeden. Er zijn verschillende indianenvolkeren, met ieder hun eigen taal en dialecten. Ongelooflijk toch!' Ze is verbaasd dat er zoveel te lezen valt over Mexico.
'Ik weet dat er Azteken en Maya's zijn, maar wat heb je dan nog meer?' vraagt Samson.
'Zapotheken.'
Iris begint te lachen. 'Apotheken?
Nu schiet ook Samson in de lach.
'Nee, geen Apotheken, maar Zapotheken,' zegt Amber. 'En Mixteken. Er zijn vele oude culturen geweest, maar met de Spaanse overheersing is er veel verloren gegaan. Veel tempels, piramides en paleizen zijn vernietigd door de Spaanse overheersers,' leest ze voor.
'Staat er ook nog iets over dolfijnen?' vraagt Samson.
Iris zoekt verder, en ineens klaart haar gezicht op. 'Ja, hier staat dat ze ook dolfijnen hebben. Er zijn verschillende plaatsen aan de kust waar je met dolfijnen kunt zwemmen. Hier, bijvoorbeeld het Sea Life Park Vallarta, of het Xcaret Eco Theme Park. Wat vind jij?'
Amber buigt zich over de gids van Iris heen en leest wat er bij staat. 'Hm, voor mijn ouders is er in Xcaret ook genoeg

te beleven, ze hebben er shows en in de omgeving kunnen ze ook allerlei dingen bezichtigen. Zullen we dit voorstellen aan mijn ouders?'
Samson knikt, maar de meiden zien dat hij ergens mee zit.
'Hartstikke leuk ja, maar wat zou ik graag mee gaan. Ik ben alleen bang dat ik niet genoeg gespaard heb,' zegt Samson spijtig.
Amber kijkt hem aan. Eigenlijk vindt ze dat het maar oneerlijk verdeeld is in de wereld. De een barst van het geld en de ander heeft helemaal geen geld. Ze neemt zich voor om aan haar vader te vragen of hij misschien een deel van Samsons kosten wil betalen. Mexico! Amber heeft er helemaal zin in.
'Kunnen dolfijnen nou echt je gedachten opvangen?' vraagt Samson aan Iris.
'Volgens mij wel,' antwoordt ze. 'Ze kunnen je in ieder geval een heel goed gevoel geven. Het schijnt ook dat zieke mensen sneller beter worden en weer meer moed en energie krijgen van dolfijnen.'
'Ja, volgens mij is dat ook zo!' voegt Amber eraan toe. 'Het zijn zulke lieve beesten, dat kun je je gewoon niet voorstellen. Ze zijn heel intelligent en lief en speels en vrolijk. En ze zijn dol op spelletjes.'
'Ik hoor wel wat het wordt, Xcaret of een ander park. Ik moet nu echt weg,' zegt Samson. 'Ik heb mijn moeder beloofd haar te helpen met koken.'
'Ik ga ook naar huis,' zegt Iris. 'Ik moet mijn kamer vandaag nog opruimen. Ik spreek je vanavond nog wel. Zal ik anders naar jou toe komen?' vraagt ze.

'Dat is goed!' antwoordt Amber. 'Tot straks!'
Even later hoort ze de voordeur dichtvallen. Ze ruimt de reisgidsen op en loopt de trap af, waar haar moeder Amber vriendelijk toelacht.
'Wat hoorde ik van Iris, ging ze naar huis om haar kamer op te ruimen? Goed idee zeg! Dat kan jij ook wel even doen. De stofzuiger staat in de kast boven!'
Bah! Stofzuigen, opruimen! Daar heeft Amber nou helemaal geen zin in.
'Ik heb trouwens een telefoontje gehad van Umberto's vader. Umberto kan drie weken naar ons toe komen, en kan dan dus met ons mee op vakantie. Het is allemaal al geregeld.'
Amber slaakt een luide kreet en vliegt haar moeder om haar hals. 'Geweldig mam! Maar ik heb eigenlijk nog een vraag. Zou Samson ook mee mogen, please, please, alsjeblieft?' Ze kijkt haar moeder smekend aan.'
'Ik dacht al dat je dat zou vragen, jullie zijn het afgelopen jaar zo dik bevriend geraakt. En nu doen jullie ook al die presentatie over dolfijnen voor school. Ik zal het vanavond eens bespreken met je vader. Want het kost wel wat natuurlijk. Umberto's vader betaalt alles voor zijn zoon. Kunnen Samsons ouders niet een deel betalen? Nou ja, ik overleg wel met je vader.'
'Maar Samson heeft ook geld gespaard, mam! Hij wil dat graag voor de vakantie gebruiken. En hij gaat aan zijn ouders vragen of die kunnen bijleggen. Misschien is dat wel genoeg!' merkt Amber op. 'Ik zou het zo fijn vinden als hij ook mee kan!' Ze kijkt haar moeder nog een keer smekend aan.

'Ik ga het eerst met je vader bespreken, maar ik beloof nog niets!' zegt haar moeder.
'Denk je dat papa het geen goed idee zal vinden?'
'Dat moet je aan je vader vragen, Amber. We mogen Samson erg graag. Ik zal je vader even polsen voordat jij het vraagt, goed?' antwoordt haar moeder.
Amber knikt en kijkt haar moeder lachend aan. 'Oké mam.'
'Nou, als je straks zo naar je vader kijkt, kan hij vast geen nee meer zeggen. Wat een smekende blik!' Ambers moeder knipoogt en haalt even haar hand door de krullen van Amber.
'Als hij straks thuis is, hebben we het er wel over. Maar wil je nu dan even je kamer opruimen? En help je me straks met tafel dekken, alsjeblieft? We eten over een uurtje.'
'Dat is goed hoor,' antwoordt Amber. Ze loopt naar haar kamer en ruimt alles op. Daarna stofzuigt ze haar kamer en gaat weer naar beneden. Het is eigenlijk een klusje van niets, vindt ze. Raar toch, dat ze er altijd zo tegenop ziet, terwijl het zo gedaan is! Ze haalt haar schouders op en loopt naar beneden.
In de keuken pakt ze bestek, borden en een tafelkleed. Ook de tafel dekken heeft ze zo gedaan. Dan gaat ze met een boek in de tuin zitten wachten totdat haar vader thuiskomt. Dat duurt hopelijk niet lang meer!

'Hoi pap!' groet Amber even later. 'Heb je lekker gewerkt?'
'Ja hoor, het was vandaag niet zo druk op het werk,' antwoordt hij.

Ambers moeder komt met het eten naar buiten. 'Aan tafel,' zegt ze.
Ze eten pasta met tomatensaus, gehakt en artisjokken. In een grote slakom zit een overheerlijke salade.
'Mmm! Lekker mam!' Amber zit te smullen.
'Goed zo!' antwoordt haar moeder. Dan kijkt ze vragend haar man aan. Die schraapt zijn keel en kijkt op zijn beurt naar Amber.
'Ik hoorde net van je moeder dat jullie graag naar Mexico op vakantie willen. Nou, dat lijkt me een goed plan, ik heb altijd al naar Mexico gewild. En Umberto gaat mee, hoorde ik? Zijn vader heeft alles geregeld voor zijn reis. En toegezegd dat hij mee mag? Hartstikke gezellig. Hoe meer zielen, hoe meer vreugd.'
'Mag het, pap? Oh, wat ben je toch een supervader!' Amber vliegt hem om zijn nek en geeft hem een dikke knuffel.
'En wat Samson betreft... ik heb het er net met je moeder over gehad en...'
Ambers vader kijkt haar peinzend aan. 'Kijk Amber, ik vind het hartstikke lief dat je hem uit wilt nodigen, maar we betalen al voor Iris. Ik kan niet voor iedereen alles betalen, ik wil best een deel betalen voor Samson. Wij hebben het zelf wel heel erg goed, sinds de erfenis. En ik vind ook dat we dat behoren te delen met anderen die het verdienen. Als Samson en zijn ouders zelf een deel betalen, wil ik ook wel een deel voor mijn rekening nemen. Maar alleen dan kan Samson wat mij betreft mee.'
Amber vliegt haar vader nog een keer om zijn nek en roept hard: 'Joepie!'

Haar vader grijnst. 'Nou, bel hem maar meteen op en vraag hem of dat goed is dan.'
Amber rent van tafel, naar binnen. 'Ik ga meteen bellen!'
Ze pakt haar mobiel en zoekt het nummer van Samson. De telefoon gaat over, heel even maar. Samson neemt direct op. Vlug vertelt Amber hem alles wat haar vader net heeft gezegd. Even is het stil aan de andere kant van de lijn. Zachtjes hoort ze hoe Samson met zijn ouders overlegt. 'Het mag,' gilt hij even later door de telefoon.
'Joehoe!' schreeuwt Amber enthousiast in haar mobieltje. 'Is het niet geweldig?'
Samson en Amber zijn door het dolle heen! Ze gaan met z'n allen naar Mexico!
'Hé Samson, hoor je me nog?' informeert Amber lachend.
Het duurt even, maar dan komt Samson weer aan de lijn.
'Fantastisch, fantastisch! Maar hoe kan dat nou? Is je vader wel helemaal serieus dan? Wil hij zomaar een deel betalen?'
Amber grijnst en knikt. 'Ja, we gaan met zijn allen op vakantie naar Mexico! Helemaal te gek hè! Het enige dat je mee moet nemen is een paspoort, tandenborstel en een zwembroek!'
'En een goed humeur, maar dat zal wel lukken. Ik zie je op school,' grapt Samson.
Amber hangt op en loopt weer naar buiten. Ze kijkt haar vader en moeder stralend aan.
'Jullie zijn de liefste ouders die ik me maar kan wensen!' zucht ze diep. 'Ik ga meteen Iris bellen, die vindt het vast ook helemaal te gek! Mexico, here we come!'

5 Taart

De volgende dag is Amber al vroeg wakker. Ze luistert naar het getjilp van de vogels buiten en denkt terug aan gisteravond, toen haar vader vertelde dat niet alleen Umberto mee mocht op vakantie, maar ook Samson.
Ze schrikt op van het geluid van haar mobieltje. Ze kijkt op het schermpje en ziet dat het Samson is die belt. Waarom belt die zo vroeg, vraagt ze zich verbaasd af.
'Hallo? Samson?' neemt ze de telefoon op.
'Hoi Amber, ik moet je nog even zeggen dat ik het echt heel erg aardig van je ouders vind dat ik mee mag. Ik zal het ze ook persoonlijk vertellen, hoor! Maar ik werd vanochtend wakker en voelde me meteen helemaal blij. Naar Mexico, zwemmen met dolfijnen! Het is supergaaf.'
'Het is oké, weet je, ik zie je later,' antwoordt Amber. Ze is onder de indruk van zijn woorden. Dan verbreekt ze de verbinding en gaapt even terwijl ze zich eens lekker uitrekt.
Even later staat ze op en loopt slaperig naar beneden.
In de hal staat haar vader. 'Ik ga nu naar mijn werk, je moeder slaapt nog. Doe je wel een beetje stil?' En met een kus op haar wang neemt hij afscheid van haar.

Amber doet zachtjes de deur dicht en loopt naar boven, waar ze nog even lekker in bed kruipt. Ze heeft vanochtend lekker vrij, de leraren hebben een grote vergadering. Ze hoeft vanmiddag pas naar school. Tevreden trekt ze haar dekbed over zich heen en doezelt weg.
Voor haar gevoel heeft ze maar vijf minuten geslapen als ze wakker schrikt van een enorm kabaal op straat. Ze schiet overeind en weet even niet waar ze is. Dan slaat ze haar dekbed opzij en schuift het gordijn open. Onder haar raam staan Iris en Samson keihard mee te zingen met liedjes die ze uit hun mobieltjes laten schallen.
'Daar is ze dan. Hé luilak, ben je al wakker?' roept Iris luid.
Amber begrijpt er niets van.
'Wat doen jullie hier zo vroeg? Het is nog niet eens acht uur!' reageert ze verbaasd.
De anderen kijken elkaar aan en beginnen verschrikkelijk hard te lachen. Iris houdt haar buik vast en wijst gierend van het lachen op het verbaasde gezicht van Amber.
'Hoe laat denk jij dat het is?' informeert ze grijnzend.
'Acht uur?' brengt Amber stamelend uit.
Opeens heeft ze het gevoel dat er iets niet helemaal klopt. Ze werpt een blik op haar wekker. De wijzers geven aan dat het al kwart voor twaalf is. Maar dat kan helemaal niet! Ze kijkt naar het stel onder zich en begint zich nu wel heel onbehaaglijk te voelen. Bijna twaalf uur! Ze is weer in slaap gevallen!
Ze schuift met een ruk het gordijn dicht, wat een luid gelach buiten oplevert. Amber voelt dat ze een kleur heeft

gekregen. Bah! Dat ze nu zo kinderachtig reageren, alsof ze dat zelf nooit eens hebben gehad! Ze zet de douche aan en even later voelt ze zich alweer iets beter. Als ze haar kleren aan heeft gedaan en haar haren in een staart, voelt ze zich weer helemaal goed. Ze glijdt langs de leuning naar beneden en doet de voordeur open.
'Zo, goedemorgen, ben je al wakker?' Iris kijkt haar vriendin plagend aan.
'Ha! Iris! Wat een verrassing!' Amber doet net alsof ze haar vriendin nu pas ziet.
Iris kijkt verbaasd, maar dan ziet aan de twinkeling in Ambers ogen dat die een grapje maakt. Samson staat er wat verlegen bij.
'We hadden toch afgesproken om samen naar school te gaan? Vandaag hebben we de presentatie. Vergeet je niet je dolfijnenshirt aan te doen!' roept Iris grijnzend.
'O ja, dat is waar ook,' stamelt Amber. Vlug kleedt ze zich om en rent dan weer snel naar beneden.
'Kom even binnen, ik moet nog wel even wat eten hoor!' Amber loopt naar de keuken, waar haar moeder net thee aan het zetten is.
'Goedemorgen allemaal,' zegt Ambers moeder. 'Willen jullie ook een kop thee?'
'Ja graag!' klinkt het uit drie monden tegelijk.
'Zo, dus vandaag is de presentatie,' begint Ambers moeder. 'En o, Amber, voor ik het vergeet, je vader gaat vanmiddag de reis boeken. Wil je nog de gegevens van Samson naar hem sms'en? Die hebben ze bij het reisbureau nodig.'

Die middag komen Amber, Iris en Samson wildenthousiast thuis uit school. De presentatie is hartstikke goed gegaan.
'Mam, iedereen zat ademloos te luisteren,' vertelt Amber. 'En die diavoorstelling was super! Een heleboel kinderen vonden het de leukste presentatie van de klas! Goed hè!'
'Heel goed gedaan, jongens,' complimenteert Ambers moeder.
'Ik vind dat we moeten vieren dat Samson en Umberto mee gaan!' zegt Iris enthousiast. 'Zetten jullie wat muziek op, dan haal ik wat lekkers. Ik heb net zakgeld gehad.' En terwijl de anderen druk praten en muziek uitzoeken, haast Iris zich naar de bakker op de hoek. Daar heeft ze een heel lekkere taart zien staan, met hartelijk gefeliciteerd erop. Die wil ze halen!
Ze stapt de bakkerij binnen en vraagt om de taart die in de etalage staat.
'Dat zal helaas niet gaan,' antwoordt de bakkersvrouw lachend. 'Die taart is van gips!'
Iris slikt even. Verdorie!
'Hebt u misschien een andere taart voor zeven euro vijftig?' vraagt ze teleurgesteld. 'Ik wil namelijk een taart voor een speciale gelegenheid.' Dan vertelt ze alles over Samson en Umberto, en hun vakantieplannen.
De vrouw luistert aandachtig.
'Ik zal kijken wat ik voor je kan doen,' antwoordt ze en loopt naar achteren. Even later komt ze terug met een dichte doos. Ze maakt hem open en laat hem aan Iris zien. De taart ziet er heel erg lekker uit en er staat hartelijk gefeliciteerd op.
Iris kijkt haar vragend aan.

'Deze was over; wel besteld maar niet afgehaald. We kunnen hem niet tot morgen bewaren. Weet je wat, geef maar vijf euro. En wat leuk dat Samson mee mag met jullie. Weet je, hij heeft hier nog gewerkt toen onze vaste kracht ziek was. Een fijne jongen. Goudeerlijk, altijd behulpzaam en opgewekt!' Ze doet het deksel op de gebaksdoos en plakt hem met een plakbandje dicht. Dan overhandigt ze de doos aan een verbaasde Iris, die de vrouw heel hartelijk bedankt en vijf euro geeft.
'En veel vakantieplezier met zijn allen hoor!' roept de bakkersvrouw nog als Iris de winkel uitloopt.
Iris is zo blij, ze is er helemaal opgewonden van. Voorzichtig loopt ze naar het huis van Amber. Met haar knie duwt ze het hekje open. Krakend gaat het open. Iris houdt de taart boven haar hoofd terwijl ze het hekje met haar voet weer dicht doet. Als ze zich omdraait ziet ze Samson en Amber in de tuin dansen. Samson, die anders zo verlegen kan zijn, swingt het hardst! Ze schiet in de lach en loopt met de taart in haar handen naar de anderen.
Amber en Samson juichen als ze de taart zien. Dan vertelt Iris dat ze de taart voor maar vijf euro kon kopen en dat ze Samson kenden!
'Wat een aardige mensen!' zegt Samson en lacht verlegen naar Iris.
Binnen snijdt Ambers moeder een paar stukken van de taart, en geeft iedereen een schoteltje.
'Op de vakantie,' zegt Iris als ze de eerste hap neemt.
'Op de vakantie,' zeggen de anderen ook.

6 Compleet

De weken vliegen voorbij, maar dan breekt eindelijk de schoolvakantie aan. Nog even en ze gaan naar Mexico! Maar eerst moeten ze Umberto nog ophalen van het vliegveld.
Amber en Iris staan ongeduldig te wachten bij de deuren. Elke keer als die openschuiven kijken ze vol verwachting of het Umberto is die naar buiten komt. Mensen met grote koffers, met rugzakken, in nette kleren of gewoon in spijkerbroek, van alles komt naar buiten. De meiden vinden dat het maar lang duurt, maar dan... gaat de deur open en staat Umberto ineens voor hun neus. Ze omhelzen en begroeten elkaar uitgebreid. Druk gebarend vertelt Umberto over de reis.
'Waar is Hero?' vraagt Amber plotseling. Ze ziet het hondje nergens.
Umberto wijst richting de hal waar hij net vandaan is gekomen en kijkt Ambers vader vragend aan.
'Die is meegegaan in het bagageruim,' antwoordt haar vader.
'Maar dat is toch veel te koud voor een dier?' Amber is helemaal verontwaardigd.

'Nee, voor die dieren wordt goed gezorgd hoor. Ze zitten niet tussen de koffers, maar in een speciaal verwarmd deel van het bagageruim. Geloof mij maar, Hero heeft het goed gehad tijdens de vlucht,' besluit haar vader.
Haar moeder staat naast hen en knikt. 'Echt waar, meiden, Hero maakt het goed. Zullen we hem dan maar gaan ophalen?'
'Top mam!' antwoordt Amber opgewonden. Ze knijpt Iris in haar hand.
'Dan moeten we wel naar een speciale balie!' zegt Ambers vader. 'Kom maar met mij mee, dan gaan we Hero halen.'

Hero zit in een kleine kennel en kijkt blij als hij Umberto ziet. Hij kwispelt vrolijk met zijn staart.
'Het is gewoon een soort hok,' zegt Iris verbaasd terwijl ze naar de kennel kijkt.
'Ja, een speciaal hok om honden in te vervoeren,' zegt Ambers vader. 'Het heet ook wel een bench, maar dat is gewoon Engels voor een hok waarin ze vervoerd worden. Iedereen noemt het zo.'
Vlug maakt Umberto de bench open en laat de hond eruit. Hij springt tegen de jongen op en Umberto knuffelt hem uitgebreid. Ineens ziet Hero de meiden staan. Even twijfelt hij, maar dan rent hij naar ze toe. Hij springt tegen ze op, likt hun handen en gezicht. Hij is door het dolle heen! En hij niet alleen! De twee meiden kunnen hem wel blijven knuffelen.
'Wat is hij groot geworden!' roept Iris.
Umberto lacht. 'Tijdens jullie vakantie in Italië was hij nog

maar een puppy. Nu is hij een volwassen hond.'
'En je bent nog steeds een schatje,' fluistert Amber tegen de hond.

Op weg naar huis vertelt Umberto honderduit over de dolfijnen in Amerika en over zijn eigen dolfijn thuis. Wat hij allemaal heeft bijgeleerd en dat hij nu echt veel meer kan met de dolfijnen! De meisjes hangen ademloos aan zijn lippen.
Als ze een halfuurtje later in de tuin zitten, vertellen ze elkaar nog steeds honderduit. Amber en Iris praten aan één stuk door over hun belevenissen in het Dolfinarium.
'Dat was zo gaaf, Umberto,' zegt Iris. 'En het mooiste was dat Amber mocht helpen in de show. Zo te gek!'
'Ja, en ik heb de dolfijnen allemaal mogen aaien. Het zijn zulke lieve dieren. En je kon ook onder water kijken en daar kreeg ik een kusje van een dolfijn. Iris geloofde het eerst niet, maar toen deed'ie het nog een keer,' ratelt Amber.
Umberto kijkt de meiden lachend aan. Het is gezellig om weer bij elkaar te zijn, denkt hij.
'Weet je wat,' zegt Iris, 'zullen we vragen of Samson zo nog even langs komt?'
'Goed idee!' roept Amber. 'Ik bel hem meteen even.'
Nog geen tien minuten later gaat de bel. Het is Samson die voor de deur staat.
'Kom binnen,' zegt Amber.
Ze lopen samen naar de tuin.
'Dit is Samson,' zegt Amber tegen Umberto, 'en dit is Umberto,' zegt ze tegen Samson.

De jongens knikken en zeggen allebei hallo. Het duurt niet lang of ze zitten met z'n allen gezellig te kletsen. Over dolfijnen en natuurlijk over de vakantie in Mexico.
We zijn compleet, denkt Amber. Nog even, dan gaan we op vakantie!

7 Een vreemd schilderij

Het vliegtuig maakt een gierend geluid. Amber kijkt uit het raampje, ze gaan bijna landen. Ze vindt het reuze spannend.
'Mexico, here we come,' giechelt Iris.
'Yes,' lacht Amber.
Samson kan er even niet om lachen, hij ziet een beetje witjes.
'We zijn er bijna Samson!' fluistert Iris, die naast hem zit.
Hij knikt stilletjes. Zijn handen houden de stoelleuning stevig vast, zijn knokkels zijn helemaal wit. Het gierende geluid neemt weer even toe en dan is het vliegtuig geland. Samson zucht van opluchting. Eigenlijk vindt hij vliegen best wel eng...
Amber tuurt door het rampje naar buiten.
'Ik zie al palmbomen!' roept ze.
'Mag ik ook even kijken?' vraagt Iris, terwijl ze zich voor het raampje wurmt. 'Moet je kijken Samson, we zijn er! In Mexico!'
Samson ziet er nu ze geland zijn alweer wat beter uit, hij heeft geen last meer van zijn oren. Hij probeert naar buiten

te kijken en een glimp op te vangen van de palmbomen. Maar Iris en Amber zitten voor het raampje. Met een zucht laat hij zich terugzakken in zijn stoel en wacht af.
Eindelijk stopt het vliegtuig, ze mogen uitstappen. Vlug maken ze hun riemen los en gaan staan. Als snel gaat de deur open en mogen ze naar buiten. Bovenaan de trap blijven ze even staan. De zon schijnt fel en het is behoorlijk warm. 'Even doorlopen, jongens en meiden,' zegt Ambers vader. 'Er willen nog meer mensen naar buiten.'
Ze rennen nu bijna de trap af, naar de bus die klaarstaat om hen naar de aankomsthal te brengen.
'Kijk, zie je daar de palmbomen,' zegt Amber terwijl ze naar rechts wijst.
Samson en Umberto knikken enthousiast. Wat is dit spannend, zeg!

Bij de paspoortcontrole zijn ze snel klaar en ze lopen door naar de bagageband. Terwijl ze wachten vraagt Iris: 'Waar moeten we Hero straks ophalen?'
'Dat komt wel goed, ik weet waar we moeten zijn,' zegt Ambers vader geruststellend.
'Kijk,' roept Samson opeens. De meiden kijken verschrikt op.
'Daar is mijn koffer al!' roept Samson.
Niet veel later schuiven ook de koffers van de anderen over de band.
Met al hun bagage lopen ze naar de balie waar ze Hero kunnen ophalen. Umberto heeft de papieren al in zijn hand. Hij geeft ze aan de man bij de balie. Alles wordt uitgebreid

bestudeerd, maar dan geeft de man een knikje. Het is goed!
Als Hero zijn vrienden ziet begint hij meteen te blaffen. Hij duwt zijn kop half tussen het traliewerk aan de voorkant heen en kijkt schuin omhoog naar Umberto, alsof hij wil zeggen: doe dat deurtje eens open! Maar de regels zijn dat ze moeten wachten totdat ze buiten zijn. Hero jankt nu zacht. Ze moeten er om lachen, het is een lief gezicht. Dan zetten ze hem met bench en al op een bagagekarretje en lopen naar de uitgang.
Ze lopen door de deur naar buiten, waar de hitte als een warme deken op hen valt. In het hele gebouw was er airco. Dit is wel even een verrassing!
Vlug doet Umberto het deurtje open en laat de hond eruit. Hij klikt de riem aan de halsband en Hero begroet iedereen uitbundig. Dan loopt hij netjes naast Umberto mee.
Buiten staat er al een taxibusje van het hotel op hen te wachten. Xcaret, staat er op de zijkant van het busje. En natuurlijk staat er ook een dolfijn bij!
'Kijk, onze eerste dolfijn in Mexico,' grapt Iris.
Ze stappen in het busje en daar gaan ze: op naar Xcaret!
Onderweg kijken ze hun ogen uit. Ze komen langs een paar dorpjes met mooi gepleisterde huisjes, en langs eindeloze velden.
Dan buigt de weg af en rijden ze een heel stuk langs de zee. Opeens verandert het landschap, het lijkt wel een stukje woestijn met cactussen. Maar dan komen ze weer bij een stadje en zijn ze bijna bij het hotel.
Amber, Iris, Umberto en Samson zitten op de achterbank en praten honderduit.

'Kijk daar eens!' Amber wijst naar een groot bord. Ze drukken hun neuzen zowat plat tegen de ramen. Op een gigantisch groot bord staan dolfijnen afgebeeld die in zee zwemmen. Het is de poort naar hun hotel: 'Welcome in Xcaret!' staat er met grote letters op.
Iris knijpt in Ambers arm en stoot Samson, die naast haar zit, aan.
'Is het niet super?' vraagt ze.
Ze rijden op een brede weg met allemaal palmbomen er langs. Even later stopt het busje en stappen ze uit bij een groot hotel. Het ziet er prachtig uit! De chauffeur van het busje haalt hun bagage uit de kofferbak en zet het op een karretje. Een bediende van het hotel rijdt het karretje naar binnen.
'We hoeven zelf helemaal niets te doen,' zegt Samson verbaasd. Hij kijkt zijn ogen uit.
'Heerlijk!' antwoordt Amber.
'Dit is vakantie!' lacht Iris.

Met z'n allen staren ze naar het schitterende hotel. Bij de ingang zijn allemaal sierlijke bogen, eronder staan grote groene planten in terracottapotten. Op de grond ligt een mooie mozaïekvloer in okergeel en rode aardtinten.
Ze lopen achter elkaar aan onder de bogen door, de hal binnen. Daar is het meteen koeler. Boven hun hoofden zien ze immens grote bogen met glas-in-loodramen in allerlei kleuren. Het is een prachtig gezicht. Het zonlicht schijnt door het gekleurde glas en zorgt dat alles er mooi en vrolijk uitziet.

Midden in de hal staat een enorme fontein in de vorm van een ster.
'Moet je kijken,' stamelt Samson, 'wat mooi...!'
'Ja,' zegt Amber, 'heel erg mooi. Ik weet nu al dat deze vakantie niet meer stuk kan!'
Ze lopen achter Ambers ouders aan naar de receptie. Die hebben al ingecheckt voor iedereen.
De man achter de receptie geeft net de sleutels van de kamers aan Ambers moeder. Een voor Ambers ouders, een voor Amber en Iris en de laatste voor de jongens. Het zijn geen echte sleutels maar een soort kaartje, dat nog het meeste op een pinpas lijkt.
'Jullie moeten je "sleutel" goed bewaren, want als je hem verliest kost dat een heleboel geld. Het makkelijkste is om hem als je weggaat bij de receptie af te geven,' zegt Ambers vader. Dan wijst hij naar de lift verderop in de hal. Ze kunnen er allemaal tegelijk in.
'Op naar de vierde verdieping!' roept Iris baldadig. Ze schieten allemaal in de lach terwijl de lift geruisloos omhoog zoeft. Ting, zegt de bel van de lift en de deuren gaan open.
'We zijn er,' zegt Iris. 'Kijk, wij hebben kamer 425. Welke kamer hebben jullie?'
'Ons kamernummer is 426,' antwoordt Umberto.
'Wat is jullie kamer?' vraagt Amber nieuwsgierig aan haar ouders.
Haar vader houdt triomfantelijk het kaartje omhoog. 432 staat erop. Verbaasd kijkt Amber hem aan. 'Hebben jullie niet 427 of 424? Geen kamer die vlak naast die van ons ligt?' Ze kijkt hem niet-begrijpend aan.

Op het gezicht van Ambers vader verschijnt een brede glimlach. Hij kijkt naar zijn vrouw, die ook van oor tot oor grijnst. 'Nee, ik dacht namelijk, jullie zijn nu al zo groot dat wij niet meer zo dichtbij hoeven te zitten.' Hij knipoogt naar Ambers moeder. Die schiet in de lach.
'Nou, eigenlijk is het ook omdat wij ook rust willen hebben. Zo hebben jullie geen last van ons en wij niet van jullie!' besluit ze lachend.
De kinderen moeten nu ook lachen.
'Nou, dat hebben jullie mooi geregeld! Des te meer herrie kunnen wij maken!' lacht Amber.
'Kom, laten we eens gaan kijken waar we nu weer terecht komen! Wie zijn sleutel het eerst in het slot heeft, daar gaan we het eerste naar binnen, goed? Een, twee, drie!' Ze rennen nu allemaal naar hun kamerdeur. Samson heeft hem als eerste open en de meisjes stuiven achter de jongens aan naar binnen.
'Jeetje...' kan Amber nog net uitbrengen.
In de kamer staan twee gigantische bedden. Kingsize formaat! Vanuit het raam hebben ze uitzicht op zee.
Vlug doet Iris de deur van de badkamer open. 'Wauw! Moet je eens komen kijken!' roept ze naar de anderen. In een nis staat een groot rond bad met goudkleurige kranen.
'Zou dat echt goud zijn? vraagt Iris.
'Nee joh, dat is toch veel te kostbaar!' lacht Umberto. 'Wauw! Dit is echt te gek!'
Samson loopt weer terug naar de kamer en kijkt om zich heen. Hij gaat met zijn hand langs het behang. Dikke goudkleurige figuren staan op het behang afgebeeld. Het ziet er

erg luxe uit. De blik in zijn ogen spreekt boekdelen: hij heeft nog nooit zo'n chique kamer gezien!
'Hé Umberto!' Amber trekt hem aan zijn shirt. 'Moet je kijken, het bad is een bubbelbad!'
Er liggen crèmekleurige handdoeken naast, met bijpassende lotions en zeepjes. Het licht is er gedimd en sfeervol. 'Yeah!' brengt Samson uit. 'Dit is echt te gek!'
'Het is weer helemaal geweldig!' zucht Iris. 'Ik ben benieuwd hoe onze kamer eruit zal zien! Kom Amber!'
Terwijl Samson de openslaande deuren naar het balkon open doet, gaan de meisjes naar hun kamer. Amber stopt haar pasje in het 'sleutelgat'. Er klinkt een klik en ze doen de deur open. Ook hun kamer is ongelofelijk mooi! In de kamer is bijna alles zachtgeel. Het behang op de muren is ook hier bijzonder, met motieven van sierlijke lelies. In het midden van de kamer staat een enorm donkerkleurig, houten bed. Aan elke kant staat een kleine palmboom in een pot ernaast.
Aan het plafond hangt een ouderwetse kroonluchter en op de grond ligt een superdik tapijt. Amber doet de deur van de badkamer open. 'Iris, kom eens kijken!' gilt ze. 'Wij hebben ook een bubbelbad met gouden kranen!'
Maar Iris hoort het niet. Ze kijkt geboeid naar het schilderij dat boven het bed hangt. Het is een schilderij met dolfijnen! Ze loopt iets naar voren om het schilderij goed te bekijken. Plotseling valt haar iets op.
'Amber!' roept ze, maar het blijft stil.
Amber staat op het balkon met Samson en Umberto te praten.

'Amber!' roept Iris nu wat harder.
'Ja?' Amber steekt lachend haar hoofd om de hoek. 'Riep je?'
'Ja! Kom eens kijken!' Iris wijst op het schilderij aan de muur.
Amber komt naar het bed gelopen en kijkt ernaar.
'Wat mooi!' reageert ze blij. 'Een schilderij van dolfijnen boven ons bed!'
'Ja, maar kijk eens goed naar die dolfijnen, valt je niets op?'
Iris kijkt haar vriendin verbaasd aan.
'Wat moet ik dan zien?' vraagt ze en trekt haar wenkbrauwen omhoog.
'Nou, kijk daar eens!' De vinger van Iris wijst op een plekje in het schilderij.
Amber tuurt ernaar. Het is niet goed te zien en het verbaast haar dat het Iris is opgevallen. Achter de spelende dolfijnen ziet ze een brede cirkel in het water. Alsof er nog een dolfijn is ondergedoken. Op de achtergrond ziet ze iets donkers. Wat is dat? Een soort brug? Het is moeilijk te zien omdat het schilderij oud is en de achtergrond donker is gehouden. Maar als ze niet beter wist, zou ze denken dat het een geheime ingang was.
'Het lijkt wel alsof iemand met dit schilderij iets duidelijk heeft willen maken,' merkt Iris op.
'Wie zou het gemaakt hebben?' vraagt Amber.
'Geen idee, maar wat doet dat ertoe!' Ze schatert terwijl ze het zegt en springt bovenop het bed. 'Even de vering controleren!' roept ze uit en begint op het bed te springen. Even later is Amber ook op het bed geklommen en springen ze

met zijn tweetjes heen en weer om tegen elkaar aan te botsen en op bed neer te vallen.
'Nou, dat zit wel goed met die vering!' hijgt Amber na.
Plotseling wordt er op de deur geklopt. Het zijn de jongens. Snel springen ze overeind en trekken de sprei weer zo goed als ze kunnen over het bed heen. Dan doen ze de deur open om de jongens binnen te laten. Samson kijkt zijn ogen uit. Umberto ook: hij staat voor het bed en kijkt naar het schilderij aan de muur. Zijn ogen knijpt hij tot spleetjes om het beter te kunnen zien. Dan draait hij zich om en vangt de blik van Iris op. Ze denken allebei hetzelfde. Er is iets aan de hand met dat schilderij, maar wat...?

8 Zwemmen met dolfijnen

De volgende dag is het schitterend weer. Ze besluiten die morgen meteen naar de dolfijnen te gaan. Die zwemmen vrij in zee. Nou ja, de zee is wel afgesloten met enorme zwarte rotsblokken. Het is een groot natuurlijk bassin en geen zwembad.
'Eigenlijk zitten ze ook gevangen,' merkt Iris op. Ze tuurt over de vlakke zee in de hoop een dolfijn te zien. Maar de zee blijft stil en kalm. Er is een vogel die met een snelle duikvlucht een vis uit het water oppikt.
Amber volgt haar blik en glimlacht. 'Mooi hè, Iris?'
Ze knikt en ze lopen met de anderen mee naar de zee. Umberto loopt voorop. Opeens begint hij druk te gebaren. Hij wijst naar de zee. Daar zijn de eerste dolfijnen!
Enthousiast rennen ze nu allemaal naar de omheining. Er zijn nog meer mensen die naar de dolfijnen komen kijken. Grote dolfijnen spetten met hun vinnen water naar de toeristen. Samson en Umberto juichen en geven elkaar een high-five.
'Yeah, man! Cool!' roepen ze grijnzend. Maar dat hadden ze beter niet kunnen doen! Nu hebben ze de aandacht van

een van de dolfijnen getrokken. Langzaam zwemt het dier dichterbij en plotseling slaat ie met zijn staart op het water. Een enorme golf spettert Umberto en Samson helemaal nat. Verbaasd kijken ze naar elkaar en dan naar de dolfijn. Amber en Iris gieren het uit van het lachen.
'Hé, sufferds! Dat hadden jullie niet aan zien komen hè! Ha, ha, ha!' roepen ze luid. Maar ze hebben het nog niet gezegd of de dolfijn zwemt hun kant op. Weer slaat hij met zijn staart op het water en spettert zo de meiden helemaal nat. Proestend kijken ze naar de dolfijn, die luid begint te kwetteren en vervolgens wegzwemt.
De jongens lachen zich nu op hun beurt suf.
'Wat zei je, Iris?' Samson kijkt haar vrolijk aan. 'Dat krijg je ervan als je een ander uitlacht!'
'Ze hadden hier wel een bordje neer mogen zetten dat je nat wordt als je te dichtbij komt!' snuift Iris verontwaardigd.
'Volgens mij staat dat er ook!' zegt Umberto vrolijk. Hij vindt het allemaal wel komisch, ook al is hij zelf ook nat geworden.
'Waar dan?' vraagt Amber verbaasd. Ze heeft helemaal niets gezien.
Umberto wijst op een geel bordje dat rechts van hen staat.
'Attention! Keep your distance please!'
'Nou, dat zien we ook lekker op tijd!' moppert Iris.
'Kom! Laten we even naar die meneer daar gaan, dat is vast een van de verzorgers,' stelt Amber voor. Ze veegt het water dat langs haar hoofd drupt met een nonchalant gebaar weg. De zon is warm en het zal niet lang duren voordat het weer opgedroogd is.

Ze lopen naar de ingang, en de man kijkt op als ze aan komen lopen.
'Hello!' begroet hij de kinderen.
'Hi!' antwoordt Amber. En ze vraagt meteen of ze met de dolfijnen mogen zwemmen.
'Sure!' antwoordt de man, hij is inderdaad een van de verzorgers.
Hij legt uit hoeveel het kost en wat ze moeten doen. Het is de bedoeling dat ze zwemkleren aan hebben. En ze moeten zich eerst goed douchen om zonnebrandcrème, bodylotion en parfum af te spoelen. Dolfijnen kunnen daar namelijk ziek van worden. Verder moeten ze een donkerblauw zwemvest aan, net als de trainers. Dat vest zorgt er ook voor dat de dolfijnen iets bekends zien, iets dat vertrouwd voor ze is.
'Wat een gedoe allemaal zeg!' reageert Samson verbaasd.
'Nou, ik zou niet willen dat een van die dolfijnen ziek wordt, alleen omdat we ons allemaal met zonnebrand hebben ingesmeerd!' merkt Umberto lachend op.
De man knikt en wijst dan aan waar ze moeten zijn. Achter elkaar aan rennen ze naar binnen. Ze hebben hun zwemspullen al onder hun kleren aan, dus dat is makkelijk! Snel doen ze hun gewone kleren uit en stappen onder de douches. Van een van de verzorgers krijgen ze de zwemvesten. Vlug trekken ze die aan en wachten opgewonden wat er gaat gebeuren. De verzorger gebaart hen dat ze met hem mee moeten lopen. In het water liggen de dolfijnen al te wachten. Op een teken van de verzorger zwemmen de dieren uiteen. Aan ieder groepje worden twee dolfijnen toevertrouwd.

Amber en Iris aan de ene kant, Umberto en Samson aan de andere kant.
De verzorger geeft opnieuw een teken en twee dolfijnen komen iets uit het water omhoog en gaan met hun snuiten tegen de wangen van de meiden aan liggen.
'Ze geven ons een kusje!' reageert Iris enthousiast en ze slaat haar armen om de dolfijn heen. Die drukt zijn snuit nog een keer tegen haar wang aan. Iris voelt hoe ze helemaal warm wordt van binnen. Wat is dat toch heerlijk, denkt ze terwijl ze de dolfijn aankijkt. Hij heeft grappige pretoogjes, vindt ze. Ze geeft hem een knuffel.
Nu is Samson aan de beurt. De twee dolfijnen komen ieder aan een kant naast hem liggen en drukken zich tegen hem aan. Hij krijgt twee dikke zoenen van de dolfijnen, die nu ook met hun vinnen op het water slaan van plezier. Samson grijnst van oor tot oor. Het leek hem eerst best eng, maar nu hij ziet hoe lief ze zijn, is zijn angst als sneeuw voor de zon verdwenen.
Umberto draait een rondje met zijn vinger boven zijn hoofd en de dolfijnen reageren onmiddellijk met een pirouette in het water.
De verzorger kijkt verbaasd toe hoe Umberto de dolfijnen laat springen en door het water laat racen. Hij zet zijn handen in zijn zij en krabt zich achter zijn oor. Dit heeft hij nog nooit meegemaakt.
Umberto krijgt er steeds meer plezier in en gebaart de dolfijnen naast de kinderen te gaan liggen. Dan geeft hij een teken aan de anderen dat ze de vinnen vast moeten houden. Even later worden ze met een enorme snelheid door het

water meegetrokken. De dolfijnen hebben het enorm naar hun zin. En de kinderen ook!
Plotseling fluit de verzorger hard op zijn vingers. De schelle toon zorgt ervoor dat ze direct naar hem opkijken. Hij waarschuwt de kinderen dat dit niet de bedoeling is.
'Oh oh, is hij nu boos?' vraagt Iris zich af.
Umberto maakt een gebaar naar de verzorger. Die knikt en steekt zijn linkerhand op. Vijf minuten gebaart hij.
'We mogen nog vijf minuten!' vertaalt Umberto het gebaar.
'Nog maar vijf minuten?' echoot Samson. 'Dat is nog hartstikke kort!' Hij draait zich om naar de verzorger. Hij steekt nu tien vingers op en kijkt de man vragend aan. De verzorger knijpt zijn ogen tot spleetjes en denkt snel na. Dan steekt hij zijn duim omhoog.
'Yes!' antwoordt Samson blij. 'We mogen nog tien minuten!'
Ze kijken naar Umberto, die de dolfijnen nu allerlei kunstjes laat doen. De verzorger gooit nog een bal naar Umberto. Hij gooit de bal naar de dolfijn die het verst weg zwemt. De andere dolfijnen racen er achteraan. Het is een prachtig gezicht. Dan gooit de verzorger meer speeltjes in het water. Een paar dolfijnen zwemmen achteruit en maken daarbij klikkende geluiden. Ze dagen de kinderen uit om met ze te spelen! Dan geeft Umberto een teken. Hij wijst op de kinderen om hem heen. Hij wijst op zijn voetzolen en gebaart de anderen op hun buik te gaan drijven. Direct beginnen de dolfijnen tegen hun voetzolen aan te duwen en ze schieten door het water heen, hun hoofden omhoog.

'Kicken man!' zegt Samson stoer. Hij lacht terwijl hij zijn hoofd boven water probeert te houden.
Het schelle fluitje van de verzorger klinkt opnieuw. Stoppen, gebaart hij. De dolfijnen begrijpen dat het spelen over is. Umberto kijkt naar de verzorger en knikt. Hij bevestigt het gebaar. De kinderen zwemmen naar de kant.
'Dat was super gaaf!' Samson helpt Iris uit het water en daarna Umberto. Amber staat al op de kant en droogt zich af.
'Umberto! Je was weer helemaal geweldig!' Iris geeft hem een schouderklopje.
Hij lacht. Ze kennen elkaar al zo lang. Umberto draait zich nog een keer om en kijkt naar de dolfijnen, die nu rondjes zwemmen. Hij kan het niet laten en maakt nog één keer een cirkelend gebaar boven zijn hoofd. Twee dolfijnen zien het en reageren onmiddellijk door zich omhoog te duwen uit het water en een rondje te draaien.
Umberto grijnst nu van oor tot oor.
De verzorger kijkt hem aandachtig aan en begint te praten. Maar Umberto kijkt nog naar de dolfijnen en heeft niet door dat er iemand tegen hem praat.
Amber stoot hem aan en wijst op de verzorger, terwijl ze de man duidelijk maakt dat Umberto doof is.
De man knikt begrijpend. Hij gaat voor Umberto staan en zegt duidelijk articulerend dat hij het heel goed vond wat hij met de dolfijnen deed. Of hij soms zin heeft in een vakantie-baantje?
Umberto kijkt hem verbaasd aan en haalt zijn schouders op in een aarzelend gebaar. Hij kijkt naar Amber.

'Maar dat is toch geweldig, Umberto?' vraagt Amber.
Hij denkt even na en gebaart dan dat hij dat niet echt gezellig voor ze vindt. Hij is toch met hen op vakantie? Maar zijn hart ligt wel bij de dolfijnen.
Amber knikt, ze begrijpt hem heel goed.
'Als je nu eens een paar dagen hier zou helpen en de rest met ons optrekt, is dat geen goed idee?' vraagt ze.
Umberto's gezicht begint te stralen.
Meer antwoord heeft Amber niet nodig. 'Dat is dan geregeld!' Ze draait zich om naar de verzorger, die er tevreden glimlachend naast staat.
'Ik kan wel wat hulp gebruiken want er is een zieke, een van de trainers heeft zijn been gebroken, dus ik ben heel blij met deze onverwachte hulp,' vertelt hij. 'Kan hij nu meteen blijven denken jullie?'
Umberto glundert en kijkt smekend naar Amber en Iris.
'Dat is goed, joh! Als jij het maar naar je zin hebt, dan hebben wij dat ook. We zien je vanmiddag wel weer!' Amber kijkt hem vriendelijk aan. 'Het is helemaal niet erg hoor. Ga jij nu maar lekker met de andere trainers praten over hoe ze het hier doen, dan hebben we vanmiddag weer veel om bij te praten. Wij gaan hier verder nog wat rondkijken, wie weet wat wij jou straks kunnen vertellen!'
Umberto is duidelijk opgelucht en loopt met de verzorger mee. De man wijst hem op een van de dolfijnen en al snel zijn ze zo in gesprek dat Umberto helemaal vergeet gedag te zeggen.
'Laat hem maar,' zegt Iris grijnzend. 'Hij heeft het naar zijn zin. Zullen wij maar eens gaan? Er is vast nog een heleboel te

ontdekken!' En ze loopt naar de uitgang. Amber en Samson volgen haar.
'Heb je dat schilderij nog goed bekeken?' Samson gaat naast Amber en Iris lopen.
'Ja,' knikt Amber. 'Het is geheimzinnig. Het lijkt wel alsof iemand iets duidelijk heeft willen maken, maar wie en hoe en wat?' Ze staart voor zich uit. 'Zullen we eens kijken of we iets herkennen hier in de omgeving? Iets dat lijkt op die tunnel?'
'Tunnel?' herhaalt Iris. 'Het leek meer op een soort brug!'
'Ja joh, het was meer een brug of zoiets,' mengt Samson zich nu ook in het gesprek. Hij weet het eigenlijk wel zeker.
'Waarom denk je aan een brug?' wil Amber weten. Ze trekt haar teenslippers uit en loopt op haar blote voeten verder over het warme zand. Iris volgt haar voorbeeld.
'Nou, ik denk dat het komt doordat er niets onder zat, alleen maar bosjes of zoiets. Was je dat niet opgevallen?' vraagt Samson haar.
'Nee, om eerlijk te zijn niet. Maar als we straks terug zijn zal ik er nog eens goed naar kijken.'
Ze lopen in een boog terug naar het dolfijnenbassin.
'Kijk daar eens!' Samson gebaart naar de overkant, daar zien ze een zeeaquarium. Het grenst aan het buitenbassin van de dolfijnen. Doordat ze zo onder de indruk waren van het zwemmen met de dolfijnen hebben ze het niet eerder opgemerkt. Er staan wat toeristen naar te kijken en een bordje vlak voor het aquarium vertelt dat dit een zoogdierencomplex is. Het ziet er allemaal wat armoedig uit. De toeristen voor hen besluiten dan ook door te lopen.

'Zullen we hier eens een kijkje nemen?' vraagt Iris voorzichtig. De anderen knikken instemmend. Eenmaal binnen kijken ze hun ogen uit. Ze lopen door een immens groot zeeaquarium, grote wanden van dik gepantserd glas omringen de kinderen. Het is een tunnel waar ze doorheen lopen. Overal zien ze dolfijnen, maar ook zeekoeien en kleinere soorten potvissen. Het is werkelijk prachtig om te zien!
Boven hun hoofden zwemt een dolfijn. Het dier kijkt nieuwsgierig wat de kinderen aan het doen zijn. Hij zwemt heen en weer en volgt de kinderen terwijl ze door de gangen lopen.
'Wat vreemd,' zegt Samson. 'Doen ze dat wel vaker denk je?'
Amber kijkt naar de dolfijn en schudt haar hoofd. 'Ik weet het niet. Jij?'
Ze kijkt naar Iris, die met haar neus tegen het glas gedrukt staat.
'Geen idee, als ze je kennen denk ik wel, maar dit is wel heel bijzonder. We vragen het aan Umberto vanmiddag. Dit moet hij echt zien!'
'Jammer dat hij er niet bij is,' merkt Amber op.
Iris knikt.
Als ze doorlopen zien ze dat er een verzorger bezig is vis in een bak te doen.
'Werkt u hier?' vraagt Samson in het Engels.
De man kijkt op. Het is een wat gezette Mexicaan, ongeveer net zo groot als Amber en Iris. Hij ziet er vriendelijk uit, heeft een gebruind gezicht met een zwart snorretje en zwart golvend glanzend haar.

'Dat klopt,' antwoordt de man vriendelijk. Hij veegt een paar zweetdruppeltjes van zijn voorhoofd en gaat verder met de vis in bakken te verdelen.
'Werkt u hier al lang?' vraagt Amber verder.
De man kijkt weer op en knikt. 'Bijna drie jaar.'
'Mogen we kijken als u de vis gaat geven?' vraagt Iris brutaal en gaat naast de man staan. De man begint te grijnzen. 'Maar natuurlijk, het is gewoon mijn werk hoor.'
Iris bloost.
De man glimlacht en wijst op een ronding even verderop. Het is een soort buis waardoor de vis naar binnen glijdt. De man neemt drie emmers mee en verdwijnt naar een zijdeur. Even later zien ze hoe de vis door de buis naar binnen glijdt. De dolfijn die ze net gezien hebben komt als eerste langszwemmen, maar tot hun stomme verbazing eet hij er niets van.
'Houdt hij niet van die vis?' informeert Iris belangstellend, en wijst op de dolfijn voor hen.
'Jawel, normaal wel, maar ik weet niet wat er aan de hand is. De dolfijnen eten de laatste dagen niets. Ik hoop dat het snel over is, want anders worden ze ziek. Ik heb dit nog nooit eerder meegemaakt. Mijn baas is niet echt een makkelijke man en hij wil dat alles goed blijft draaien zonder dat hij er veel aan hoeft te doen. Straks ben ik mijn baan nog kwijt.'
'Maar als de dolfijnen niet willen eten, is dat toch niet uw schuld? U zorgt toch juist goed voor ze?' vraagt Samson.
'Misschien zijn ze wel ziek. Misschien is er iemand geweest die het water in is gegaan en zo een bacterie heeft overgebracht,' oppert de man bedeesd.

'Ik heb geen flauw idee wat er aan de hand kan zijn,' antwoordt Amber. 'Jullie?' Ze kijkt de rest vagend aan, maar niemand kan bedenken waarom de dolfijnen niet eten.
'Is er hier nog meer te zien?' wil Samson weten.
'Oh ja, daar is een gang met nog veel meer dieren,' wijst de man.
'Nou, dan lopen we weer verder, we willen het allemaal goed bekijken. Dag meneer,' groet Samson.
Amber tuurt op het speldje dat de man draagt; *Javier* staat erop. Ze doet een poging om het goed uit te spreken.
De man begint hartelijk te lachen en zegt haar zijn naam voor. Het klinkt nog het meeste als 'gaabjier' of zoiets.
Amber zegt het een paar keer na en begint dan te lachen. Javier lacht mee.
'Tot ziens dan maar!' zegt hij.
'Tot de volgende keer!' antwoordt Amber. 'Misschien ziet u ons morgen alweer terug!'
Javier kijkt haar verbaasd aan. 'Dat zou heel leuk zijn, dan kennen we elkaar al een beetje! Hoe heten jullie?'
Ze stellen zich een voor een aan hem voor.
'Alleen Umberto, onze dove Italiaanse vriend is er niet bij, maar die komt morgen wel hoor!' besluit Iris het gesprek.
Javier zegt ze hartelijk gedag door ze allemaal de hand te schudden, dan draaien ze zich om en lopen door. De rest is lang niet zo mooi als de glazen tunnel waar je doorheen kon lopen. Een beetje teleurgesteld lopen ze weer naar buiten. Al kletsend steken ze een pad over en lopen een heel stuk door zonder in de gaten te hebben waar ze heen gaan. Plotsklaps houden ze hun adem in. Wat is dat?

9 Verdwenen dieren

Ze kijken elkaar sprakeloos aan. Voor hen zien ze een exacte kopie van de 'brug' op het schilderij.
'Hoe kan dat nou?' stamelt Samson. Hij staart naar het vreemde tafereel voor hem. Het is niet echt duidelijk wat het nou precies is. Een brug, een soort overkapping... Het is in ieder geval duidelijk dat dit onderzocht moet worden!
Iris kijkt op haar horloge. 'Gaan we nú kijken of vanmiddag?' vraagt ze. 'Het is al best wel laat. Misschien worden je ouders ongerust,' zegt ze tegen Amber.
Maar Amber staart onafgebroken naar het ding voor hen.
'Nee hoor, ze hebben gezegd dat we pas bij het avondeten weer worden verwacht.' Ze geeft antwoord, maar lijkt er met haar gedachten niet echt bij te zijn. Amber loopt als eerste verder naar het ding en bekijkt het aandachtig.
'Het lijkt wel een soort glas te zijn, maar dan donker geschilderd aan de buitenkant, alsof niemand mag zien wat erin zit,' fluistert ze. Ze draait zich om naar de anderen, die er wat afwachtend bij staan.
'Zullen we eens kijken of er een ingang is?'
De anderen knikken en met Amber voorop lopen ze om

het vreemde ding heen. Het duurt even voordat ze een zwart geschilderde deur ontdekken die aan de zijkant van het gevaarte zit. Plotseling klinkt er gestommel. Het geluid lijkt wel dichterbij te komen! Vlug duwt Amber de anderen opzij, de bosjes in.
Nog geen tien seconden later gaat de deur open en komen er twee Mexicanen naar buiten. Ze hebben allebei een smal snorretje, de een heeft een zwarte krullenbol, de andere is bijna kaal. De mannen zijn onopvallend gekleed. Tergend langzaam valt de deur weer dicht.
Als de twee mannen uit het zicht zijn verdwenen, staat de deur nog op een kier.
Amber bedenkt zich geen moment en sluipt voorzichtig naar voren. Ze hoopt dat ze de deur nog net op tijd open kan houden. Dat lukt! Ze gebaart de anderen. Snel gaan ze naar binnen.
Aan het plafond hangen een paar kale peertjes, die voor fel licht zorgen. Ze lopen door een smalle gang, die iets verderop breder wordt.
'Zo hé! Moet je kijken,' fluistert Samson en hij wijst op een soort aquarium recht voor hen. Het water in het aquarium is vies en donker. Het duurt even voordat ze kunnen zien of er wat in het water zit. Dan zien ze wat bewegen: een dolfijn! En een bruinvis en een zeehond!
'Dat kan toch niet! Moet je eens zien hoe smerig dat water is! Zo worden ze toch ziek?' Samson is boos. 'Wie doet er nou zoiets? Ze kunnen wel doodgaan door te weinig zuurstof! Moet je eens zien hoe mager ze zijn en hoe moeilijk ze zwemmen, dit mag toch helemaal niet, of wel soms!'

Hij staat met gebalde vuisten te kijken naar de dolfijn, die hem recht aan lijkt te kijken.
Iris staat naast hem en legt haar hand tegen het glas. Ze weet niet of de dolfijn haar hoort, maar ze zegt tegen het dier dat ze hulp gaan halen. 'We gaan jullie redden…'
Plotseling horen ze voetstappen. Snel kijken ze waar ze zich kunnen verstoppen. Maar er is niets waar ze zich achter kunnen verschuilen. De voetstappen komen steeds dichterbij…
Van angst blijven ze stokstijf staan, hun ogen wijdopen gesperd. De voetstappen stoppen en ze horen een sleutelbos rammelen. Dan is het stil. Muisstil.
'Nou, dat scheelde maar een haar!' Iris zucht zenuwachtig en hupt van haar ene op haar andere been.
'Wat doen we nu?' Samson kijkt Amber aan en ze denken allebei hetzelfde.
'Zo snel mogelijk weg hier!' antwoordt ze en draait zich al om.
'Ho, ho, maar deze arme dieren dan?' Iris staat met haar armen in haar zij en kijkt de anderen verontwaardigd aan.
'Wat dacht je van eerst hier weg. Dan zien we buiten wel weer verder?' Amber gaat voor haar vriendin staan en kijkt haar recht aan. 'We moeten hier echt weg, Iris. Er kan ieder moment iemand binnenkomen en als die ons hier vindt is het foute boel! Ik voel gewoon dat hier iets niet klopt, geen mens verwaarloost dieren zo. En als wij opgesloten komen te zitten kan niemand de dieren helpen, dus kom nu maar mee!' Ze trekt Iris aan haar arm mee.
Heel voorzichtig opent Samson de deur en steekt zijn hoofd

naar buiten. De kust is veilig. Hij gebaart dat ze allemaal naar buiten kunnen komen.
Snel kijken ze om zich heen om te zien of iemand hen in de gaten heeft gehad. Maar er is niemand te zien. Nu durven ze zich weer wat te ontspannen.
'Wie laat nou zijn aquarium zo verschrikkelijk smerig worden?' briest Iris.
'Ik vind dit echt, echt niet kunnen hoor!' reageert Amber.
'Bescherm de beesten tegen de mensen!' voegt Samson eraan toe. Hij is diep onder de indruk van wat hij zojuist heeft gezien.
Als ze weer bij het pad zijn, komen ze de twee mannen tegen die ze uit de deur zagen komen. Amber en Iris kijken snel de andere kant op. De mannen lopen langs de kinderen heen, ze hebben niets in de gaten.
'Kom!' Amber gebaart de anderen achter haar aan te komen. 'We gaan naar Umberto en vertellen hem wat we daar gezien hebben. Hij weet er vast wel iets op. Laten we zo snel mogelijk terug gaan!'
Ze lopen terug naar de dolfijnen en zien hun vriend langs de kant staan.
'Daar is-ie!' Amber rent naar Umberto toe en vertelt hem alles.
Umberto's ogen worden groot en zijn gezicht trekt wit weg.
'Dus nu willen wij er wat aan gaan doen, maar hoe pakken we dat aan?'
Iedereen kijkt de jongen aan in de hoop dat hij een oplossing kan bedenken. Maar het blijft stil. Dan klaart zijn gezicht op en hij gebaart naar de man die net naar buiten komt

gelopen. Het is de verzorger uit het aquarium. Even aarzelt Umberto, maar dan kijkt hij Javier recht aan.
'Kent u een plek waar dolfijnen slecht behandeld worden?' vraagt hij zogenaamd onverschillig. 'In elk land heb je wel van dat soort toestanden. Is dat hier ook zo?' Hij kijkt Javier niet recht aan, want dan ziet hij misschien dat Umberto vreselijk boos is.
'Ik zou het niet weten. Waarom vraag je dat? Zorg ik niet goed voor mijn dieren?' reageert Javier verontwaardigd. Hij gebaart druk met zijn handen terwijl hij doorratelt.
'Nee, natuurlijk niet, dat bedoelen we helemaal niet!' zegt Amber vlug. 'Maar we dachten, misschien heeft u wel eens van die toestanden gehoord. We hebben het al eerder gezien in Italië, en nou, dat was echt geen pretje hoor!'
Ze glimlacht vriendelijk naar Javier, die weer een beetje tot bedaren komt. Hij duwt zijn pet iets naar achteren, trekt zijn werkoverall recht en krabt zich achter zijn oor.
'Nou, ze zeggen dat er hier een bende was die zich met dat soort praktijken bezighield. Maar ik weet daar absoluut niets vanaf. Ik moet er niet aan denken!' Hij slaat een kruisteken en pakt het gouden kruisje vast dat aan een kettinkje om zijn hals hangt.
Iris schiet in de lach. Amber kijkt haar nijdig aan. Als Javier dat maar niet gezien heeft, denkt ze. Maar Javier heeft niets in de gaten. Hij schraapt zijn keel en vervolgt zijn verhaal.
'Wij doen er gelukkig alles aan om de dieren een goed leven te geven. Ik zwem zelfs met ze!' Meteen slaat hij zijn hand voor zijn mond en krijgt een rode kleur. 'Ik bedoel dat ik wel eens met ze zou willen zwemmen, maar ik zwem natuurlijk

niet echt met ze, want dat is ten strengste verboden!' ratelt hij, terwijl hij wat zweetdruppeltjes van zijn voorhoofd veegt.
'Geeft niets hoor, wij zullen je geheimpje niet verklappen!' lacht Amber.
'Maar als u, niet echt natuurlijk, zwemt met dolfijnen, wat doet u dan met ze?' vraagt Iris nieuwsgierig.
Javier kijkt snel om zich heen en gebaart de kinderen iets dichterbij te komen. 'Eerst douche ik me goed, anders kunnen ze ziek worden, zoals jullie al weten. Dan speel ik met ze, ik aai ze en ik mag aan een vin mee het hele aquarium door!' Zijn gezicht straalt. 'Maar natuurlijk alleen in mijn gedachten, dat begrijpen jullie, want het is ten strengste verboden.' Hij knipoogt naar de kinderen.
'Maar natuurlijk, u zou niet durven, want als het verboden is, dan doet u dat zeker niet!' Amber geeft Javier een dikke knipoog terug.
'Precies!' antwoordt hij. 'Dat soort dingen zal ik dus echt nooit doen!'
'Maar even over die bende, hè Javier.' Samson doet een stapje naar voren en kijkt de Mexicaan belangstellend aan. 'Als het wel waar zou zijn, waar zou die bende dan zitten, denk je?'
De man aarzelt even, maar dan begint hij te vertellen.
'Een jaar geleden verdwenen er ineens allemaal zoogdieren uit verschillende parken in Mexico. Er zijn toen ook allerlei verslaggevers en journalisten op ons af gestuurd, maar hier was gelukkig niets aan de hand. Ze hebben maanden gespeurd, maar er is niets concreets uit gekomen. En ze hebben al helemaal niemand van de bende kunnen opsporen.'

'Maar wat gebeurde er dan met de dieren?' dringt Amber aan.
'Die werden ergens gevangen gehouden en voor veel geld verkocht aan mensen die graag een dolfijn wilden hebben. Er gaan geruchten dat er dolfijnen naar Saoedi-Arabië zijn vervoerd, om in een bassin bij een paleis rondjes te mogen zwemmen. Maar of dat waar is weet niemand. Er zouden ook verschillende dierentuinen zijn die de dieren wilden kopen. Niemand weet wat er van die dieren is geworden. Of ze nog leven...' Javiers gezicht staat bedroefd. Ze kunnen wel zien dat hij het zelf heel erg vindt wat er is gebeurd.
'Hoe lang is dat geleden?' vraagt Samson. Hij vindt het allemaal maar belachelijk dat zoiets gebeurt.
'Nog niet zolang geleden, de laatste dieren zijn een paar weken geleden verdwenen. Je snapt gewoon niet dat het kan, alles is vergrendeld. De dieren hier zwemmen vrij rond tot aan de rotsblokken daar, maar wij missen geen dolfijn. Wel in het aquarium. Dat is toch onlogisch!' Hij kijkt Samson vragend aan.
'Niet als je weet dat ze in zee veel meer ruimte hebben en dus minder snel gevangen kunnen worden. In een aquarium gaat dat veel gemakkelijker,' zegt Samson.
'Dat is waar,' antwoordt Javier. 'Daar heb je een heel sterk punt.' Hij knikt en kijkt dan op zijn horloge.
'Ik moet nu toch echt gaan jongens, het is laat,' zegt hij. 'Tot morgen allemaal!'
Dan loopt hij weg en al snel is hij tussen de mensen op straat verdwenen.
'Nou, dat is me een verhaal!' gebaart Umberto. Hij gaat op

een muurtje zitten en staart in gedachten voor zich uit.
'Zou het kunnen zijn dat die bende hier in de buurt zit?' vraagt Amber. Umberto haalt zijn schouders op en Amber gaat naast hem zitten. Iris en Samson ploffen nu ook neer; ze zitten allemaal op het muurtje. Even is het stil, maar dan gaat Samson ineens weer staan.
'Stel je voor dat die bende wel hier in de buurt bezig is. En stel je voor dat het de dieren zijn die wij vanmiddag hebben gezien! Dat die arme dolfijn uit het aquarium komt waar Javier werkt. Hij kent alle dieren, zou het kunnen dat die dolfijn Javier herkent, en andersom?'
Ze kijken alle drie naar Samson.
'Oké, dat zou kunnen, maar wat wil je dan doen?' onderbreekt Amber hem.
'We kunnen een plan bedenken waardoor we de dolfijn weer in het aquarium kunnen krijgen. Of zou de rest van de dieren hem niet meer accepteren?'
'Als hij echt uit het aquarium komt, moet dat geen verschil maken. Maar deze dolfijn is zo verschrikkelijk vies dat hij niet zo overgebracht kan worden. Hoe wil je dat oplossen?' antwoordt Umberto.
'Wat dacht je van afspuiten?' oppert Iris.
'Dat zou heel goed kunnen, maar dat kunnen we niet zomaar doen. Waar moet dat allemaal gebeuren? Dat kan al helemaal niet in die smalle gang daar!' voegt Amber toe.
'Als we nu eens Javier inschakelen?' stelt Samson enthousiast voor.
'Maar we kennen hem helemaal niet!' Umberto vraagt zich af of dat wel een goed idee is. Ze praten nu allemaal door

elkaar heen, totdat Amber in haar handen klapt.
'Ik weet het: we leggen het morgen gewoon aan hem voor. Ik denk dat hij er wel oren naar heeft. Hij heeft zeker de middelen om er iets aan te doen. En als hij echt zo van de dieren houdt, zal hij geen moment aarzelen. Trouwens, als hij niet te vertrouwen was dan had hij zijn geheimpje niet aan ons verteld. Dat had hij dan voor zich gehouden. Hij hoort zeker niet tot die bende. Ik denk dat we hem wel kunnen vertrouwen,' besluit ze haar pleidooi.
De anderen knikken. Daar zit wat in!
'Laten we nu dan maar terug gaan naar ons hotel. Anders begrijpen mijn ouders niet waar we blijven.'
Ze staan allemaal op en lopen terug naar het hotel. Aan tafel zitten de ouders van Amber al te wachten. Hero zit braaf naast ze. Als hij de kinderen ziet, springt hij op en begint iedereen uitbundig te begroeten.
'En? Hoe was jullie eerste dag in Mexico?' vraagt Ambers vader belangstellend. 'Hebben jullie al wat leuks gedaan?'
Amber knikt enthousiast en begint te vertellen over het zee-aquarium en hoe prachtig het allemaal is. Umberto vertelt dat hij mag meehelpen in het bassin en Samson en Iris vertellen welke dieren ze allemaal hebben gezien. Niemand rept met ook maar een woord over de bende en de verdwenen dieren. Want als Ambers ouders zouden weten dat ze misschien een echte bende op het spoor zijn, mogen ze vast niet meer op pad. Dus kletsen ze honderduit over de vele soorten vissen, de ontmoeting met Javier en dat ze de volgende dag weer naar het aquarium willen. Ze vertellen alleen niet naar welk aquarium ze nog meer gaan…

Na het eten kletsen ze nog verder op het terras van het hotel. Maar al snel is iedereen moe. De jetlag slaat toe!
'Ben jij ook zo moe?' vraagt Iris gapend aan Amber.
Die rekt zich net uit. 'Nou! Dat kan je wel zeggen!'
Ambers ouders staan als eerste op. 'Ik denk dat iedereen moe is van de lange reis, tien uur vliegen is niet niks. En dan alle indrukken die je zo'n eerste dag opdoet! En daarbij ook nog het tijdsverschil! Ik stel voor dat we allemaal lekker vroeg naar bed gaan, dan kunnen we er morgen weer tegen!' zegt Ambers moeder.
Daar is iedereen het mee eens en met z'n allen lopen ze naar de lift.
'Hebben jullie allemaal je pasje om de deur te openen?' vraagt Ambers vader.
'Jaaaah!' klinkt het in koor.
Iedereen houdt zijn pasje met een plagerig gebaar omhoog.
'Nou, dan kunnen we!' grijnst Ambers vader en ze zoeven met de lift omhoog

Als Amber de deur openmaakt, glipt Iris als eerste naar binnen. Languit laat ze zich op het bed vallen.
'Jeetje zeg! Wat ben ik moe!'
'Anders ik wel. Ik ga even lekker douchen en dan naar bed,' zegt Amber.
Iris knikt lui en rolt zich op. 'Roep maar als je klaar bent, goed?'
Als Amber even later uit de badkamer komt, ziet ze dat Iris al in slaap is gevallen. Even aarzelt Amber, maar dan legt ze de sprei over haar vriendin heen en kruipt voorzichtig aan

de andere kant het bed in. Ze wil Iris nu niet meer wakker maken.
Ambers ogen worden zwaar. Ze denkt nog even aan die arme dieren in dat smerige aquarium. Maar al snel valt ze in een diepe slaap.

10 Op onderzoek

De volgende ochtend schrikken Amber en Iris wakker van een hard geluid.
'Wat was dat,' mompelt Iris slaperig.
'Mmmm,' klinkt het van Ambers kant.
Weer klinkt het gepiep. En ineens zit Amber rechtop in bed. Ze zoekt op het nachtkastje naar iets.
'Wat doe je?' vraagt Iris.
'Het is mijn mobiel. Ik had het alarm gezet. Maar waar ís mijn mobiel?'
Allebei duiken ze onder de dekens om te kijken of het ding daar ligt. Met verhitte hoofden komen ze weer te voorschijn en schieten in de lach.
'Moet je ons nou zien,' giechelt Amber. 'Als een paar idioten op zoek naar mijn mobiel!'
'Sst,' zegt Iris. Ze luistert waar het geluid vandaan komt. Ze springt uit bed en houdt triomfantelijk Ambers korte broek omhoog. Hij zit in Ambers broekzak!
Vlug zet Amber het alarm uit.
'Hoe laat is het eigenlijk?' vraag Iris. 'Kunnen we al ontbijten, denk je?'

Amber schiet in de lach. 'Jij hebt ook altijd honger!' zegt ze grijnzend. Ze kijkt op haar mobieltje om te zien hoe laat het is. 'Het is bijna acht uur. Laten we maar opschieten, anders zijn misschien alle lekkere dingen op!'
Dat laat Iris zich geen twee keer zeggen en ze rent naar de douche. Dan pas ziet ze dat ze haar kleren nog aan heeft. Verbaasd kijkt ze ernaar.
'Hoe kan dat nou?'
'Je was gisterenavond zo moe, dat ik je niet meer wakker wilde maken!' legt Amber uit.
'Oké!' reageert Iris en haalt haar schouders op. Ze zet de douche aan. Als ze klaar is, staat Amber al te wachten.
'Schiet eens op, joh!' Ze gooit een grote badhanddoek naar Iris, die hem handig opvangt.
'Ik ben bijna klaar!' belooft ze. En dat is ze. Binnen vijf minuten is ze aangekleed en heeft ze ook nog haar haren afgedroogd. Snel pakt ze een elastiekje en doet haar haar in een paardenstaart.
Dan ziet ze dat Amber ook al klaar is.
'Hoe kan jij nou zo snel klaar zijn?' vraagt ze verbaasd.
'Ik heb gisteravond al gedoucht! Nu hoefde ik me alleen maar even te wassen, zo klaar! Dat heb je ervan als je met je kleren aan in bed duikt!' zegt Amber plagend.
De meiden lopen de gang op en kijken of ze de jongens al zien. Amber wil net naar hun deur lopen, als die open gaat. Twee slaperige hoofden komen naar buiten.
'Zo, luilakken, hebben jullie lekker geslapen?' informeert Amber belangstellend.
'Als ik naar jullie slaperige hoofden kijk, voel ik me echt

wakker!' grapt Iris, en ze geeft Samson een por in zijn zij.
'Hé joh, niet doen,' moppert hij.
'Je moet Samson 's morgens even bij laten komen, hij heeft een uurtje nodig om weer helemaal de oude te zijn,' legt Umberto uit. Hij heeft een brede grijns op zijn gezicht en klopt Samson even op zijn schouder. 'Hè, Samson?'
'Oké dan!' Amber knikt begrijpend en knipoogt naar Umberto. Amber is blij dat Umberto geen last heeft van een ochtendhumeur.
De liftdeuren gaan open en ze stappen in. Nog geen minuut later zijn ze bij de ontbijtzaal. Ambers ouders zijn er al.
'Zo, daar hebben we de langslapers!' Haar vader schuift de stoel naast zich met een ruim gebaar naar achteren. 'Ga zitten, ga zitten,' zegt hij gastvrij. De kinderen ploffen neer.
'Willen jullie verse jus d'orange, melk, thee of iets anders?' vraagt Ambers moeder. 'Je kan daar van alles pakken.' Ze wijst opzij, naar het buffet.
Het ontbijtbuffet is super uitgebreid. De ene na de andere tafel staat vol met lekkere dingen.
'Mmm, dat ruikt heerlijk!' roept Iris blij terwijl ze een bordje pakt. Het zijn mooie borden, ze zien er een beetje Mexicaans uit met die felgekleurde figuren.
'Ik neem zo'n lekkere maïspannenkoek!' roept Amber lachend. 'Lekker met stukjes gesmolten kaas met paprika en maïskorrels.'
'Ik neem een "tamale"!' roept Amber blij. 'Moet je eens kijken wat een joekel dat is!' Ze laat een lekkere deegrol gevuld met kaas, vlees en chilipepers zien. Het is net een soort grote loempia.

'Mmm, dat ruikt inderdaad erg lekker!' zegt Samson, en zijn gezicht klaart op.
'Je moet voortaan eerst maar wat eten voordat jij je bed uit komt, dan kijk je meteen wat vrolijker!' roept Iris hem toe.
'Ja, ze kunnen beter een lekkere tortilla onder zijn neus houden, dan is hij meteen vrolijk wakker!' doet Amber er een schepje bovenop.
Nu moet ook Samson lachen. Hij neemt een tortilla en schept wat guacamole op. Dan loopt hij achter de meisjes aan naar de tafel.
Het is meteen stil, iedereen zit te smullen.
'Jullie hadden ook broodjes kunnen nemen, die liggen er ook hoor,' merkt Ambers moeder op.
'Nee joh, dit is veel lekkerder. Broodjes kunnen we thuis ook eten!' zegt Iris tussen twee happen door.
'Ja mam, dit is echt onwijs lekker!' voegt Amber toe. 'Kun je dat thuis ook eens voor ons maken, denk je?' vraagt Amber.
'Wie weet!' antwoordt haar moeder.
'Wat gaan jullie vandaag doen?' vraagt haar vader belangstellend. 'Ik hoorde namelijk dat je hier ook heel goed kunt snorkelen!'
Amber, Iris, Samson en Umberto kijken elkaar aan. Snorkelen! Dat is helemaal te gek!
Amber weet wat de anderen nu denken. Ze willen het liefste meteen door met hun speurtocht en de arme dolfijnen helpen, maar een ochtend snorkelen is toch niet zo erg?
Amber knikt enthousiast. 'Fantastisch pap, dat is pas echt vakantie! Wanneer gaan we?'

'Ik heb alles al gereserveerd voor jullie. Jullie kunnen vanochtend al mee. Tenzij jullie andere plannen hebben natuurlijk!' Hij knipoogt naar zijn dochter.
'Jullie kunnen je zo bij de receptie melden, daarna gaan jullie mee met een instructeur. We zien jullie wel weer met de lunch. Goed?'
Ze knikken. Hoewel het hun plannen doorkruist, is het een te leuk uitje om af te slaan. En bovendien is het maar een ochtend en niet de hele dag!

De instructeur staat al op ze te wachten bij de receptie.
'Goedemorgen!' groet hij de kinderen vriendelijk. Met een uitnodigend gebaar wijst hij naar de uitgang van het hotel. Ze lopen achter hem aan naar buiten.
'Ben ik even blij dat ik mijn bikini al aan heb!' fluistert Iris.
'Anders ik wel!' giechelt Amber en knijpt in de arm van haar vriendin. Gelukkig hebben de jongens ook al bedacht dat ze zouden gaan zwemmen en hebben hun zwembroek ook aan. Ze stappen in de jeep die voor het hotel geparkeerd staat en rijden over de boulevard naar een strand verderop. De instructeur legt alles nog een keer goed uit. Hoe je de duikbril moet opzetten, de snorkel in moet doen en hoe je dan rustig kunt ademhalen. Dan vertelt hij enthousiast wat ze allemaal kunnen zien onder water. Als laatste geeft de instructeur nog de zwemvliezen. Achter hem aan gaan ze het water in.
Amber vertelt nog vlug dat Umberto doof is, maar dat had haar vader hem dat al verteld. Onder water doen we toch

alles al met gebaren, je kunt daar toch niet praten, legt hij lachend aan Amber uit.
Als iedereen klaar is, gaan ze. De eerste vijftig meter zwemmen ze boven een zandbodem, er is nog weinig te zien. Verderop beginnen de rotsen en daar zien ze allerlei prachtige vissen in alle kleuren van de regenboog. Hier en daar zien ze op de rotsen mooie stukken koraal. En ze zien zelfs een kleine inktvis zwemmen!
Ze gaan nog een stukje verder. Het wordt steeds mooier. De instructeur wijst steeds van alles aan: mooie vissen, een bijzonder stuk koraal. Dan stopt hij plotseling en wijst enthousiast in de verte. Ze turen in de oneindige blauwe zee en dan zien ze het ook. Daar komt een dolfijn aangezwommen! Het dier zwemt rustig naar het groepje toe en duwt nieuwsgierig tegen de hand van de instructeur. Hij aait de rug van de dolfijn.
De dolfijn zwemt naar Umberto toe en kijkt hem met zijn kraaloogjes aan. Het dier straalt een enorme rust uit. De dolfijn zwemt een stukje met Umberto mee, draait zich om en kijkt de anderen aan alsof hij ze gedag wil zeggen. Iedereen vindt het prachtig! Dan schiet de dolfijn weg, richting de open zee.
De instructeur gebaart dat ze teruggaan. Netjes zwemmen ze achter hem aan. Ze zijn allemaal behoorlijk onder de indruk. Zelfs de instructeur, hij staat ook niet iedere dag oog in oog met een dolfijn.
Op het strand praten ze allemaal door elkaar heen. Over één ding zijn ze het roerend eens: dolfijnen zijn de mooiste dieren die ze kennen!

'Zag je die ogen?' gaat Umberto enthousiast verder.
'Wat geweldig hè, een dolfijn zomaar in zee!'
De instructeur komt aangelopen met een koelbox. Hij pakt er voor iedereen een blikje drinken uit. Gulzig drinken ze het op, ze hebben allemaal enorme dorst gekregen van al dat gesnorkel.
Na een minuut of tien gaan ze weer naar het hotel. Onderweg kletsen ze nog steeds over de ontmoeting met de dolfijn. Voor ze er erg in hebben, zijn ze er alweer. Ze stappen uit de jeep en bedanken hun instructeur.
In het hotel zien ze Ambers ouders al aan hun tafeltje zitten. Ze kunnen meteen aanschuiven.
'En? Hoe was het?' vraagt Ambers moeder enthousiast.
'Helemaal geweldig, mam! We hebben van alles gezien, koraal en allerlei mooie schelpen en vissen... maar het mooiste wat we hebben gezien was een echte dolfijn!'
'Meen je dat?' vraagt Ambers vader verbaasd.
'Hij keek ons recht aan, pap! Alsof hij wilde vertellen wat hij dacht. Ik verzin het echt niet hoor!' Amber kijkt haar vader met grote ogen aan.
'Ik geloof je direct,' antwoordt haar vader.
'Jullie hebben zeker wel trek gekregen van al die avonturen!' lacht Ambers moeder. Ze schuift een mandje met brood naar voren. Op tafel staat een schaaltje met heerlijke kruidenboter. De vier kinderen vallen aan op het brood. Ze hebben echt honger!
'Ho, ho, jullie krijgen straks nog meer te eten hoor!' En inderdaad, even later krijgen ze een kom dampende soep voorgeschoteld.

'Mmm,' snuift Iris de geur op. 'Dat ruikt goed zeg!' En ze beginnen ervan te smullen.
'Erg lekker, maar het vult wel! Ik denk dat ik maar een siësta ga houden!' zegt Amber terwijl ze over haar buik wrijft.
Samson kijkt haar verbaasd aan. 'Een siësta? Maar we zouden toch nog wat gaan doen vanmiddag?'
Het levert hem een schop onder tafel op van Iris, ze is bang dat hij zich verspreekt. Als Ambers ouders merken dat ze een bende op het spoor zijn, mogen ze vast en zeker niet meer alleen weg! Samson snapt de hint en vraagt niet door.
'Wat willen jullie eigenlijk gaan doen vanmiddag?' vraagt Ambers vader. Hij heeft kennelijk door dat Iris Samson waarschuwde.
'Oh, hetzelfde als gisteren.' Amber vertelt uitgebreid dat ze met zijn allen eerst willen gaan kijken bij de dolfijnen en dan naar het aquarium. 'Pap, mag Hero dan wel mee vandaag? Hij is nu toch wel bijgekomen van zijn vliegavontuur?'
Ambers vader kijkt even naar zijn vrouw. Ze geeft hem een geruststellend knikje.
'Super! Dankjewel mam!' Amber staat op en geeft haar moeder een dikke knuffel. 'Kom maar Hero! Je mag de rest van de dag met ons mee!' Ze pakt de riem van Hero en trekt hem naar zich toe. Hero begint meteen te kwispelen, zo blij is hij.
'Is iedereen klaar?' vraagt Amber.
'Nou, veel plezier dan maar. En doe de dolfijnen de groeten van ons!' Haar vader staat lachend op en wacht totdat Ambers moeder haar stoel ook naar achteren heeft geschoven. Dan slaat hij zijn arm om haar heen.

'Wat gaan jullie doen?' wil Amber weten. Hero springt ondertussen blij tegen haar op.
'We gaan vandaag een stukje varen en daarna lekker luieren op het strand. Morgen willen we naar een stad niet al te ver hier vandaan. Willen jullie nog mee? Nou ja, we horen het vanavond wel. Veel plezier en doe voorzichtig. En je weet het, als er iets is, dan bel je me!' Hij geeft Amber een kus op haar hoofd.
'Oké pap, ik weet het, maak je maar geen zorgen. We zijn met zijn vieren, er gebeurt echt niets hoor!'
Dan draait ze zich om en loopt als eerste naar de uitgang. De anderen lopen achter haar aan. Met Hero naast zich lopen ze naar het bassin in zee.
'Hero moet nog wel even wat doen hoor!' waarschuwt Amber de anderen.
'Wat moet hij dan doen?' vraagt Samson. 'Kunstjes?'
Umberto grijnst en Amber en Iris gieren het uit van het lachen.
'Ik weet niet of je dit een kunstje kan noemen,' hikt Amber, terwijl Hero zijn poot optilt voor een plasje.
'Oh! Dat bedoel je!' Samson krijgt een kleur. 'Kijk, daar is het zeebassin al!' zegt hij vlug. Hij wijst naar de dolfijnen die in het bassin zwemmen.
'Hoe gaan we dat eigenlijk doen met Hero? Mag hij wel mee naar binnen?' Amber kijkt Umberto vragend aan. Die knikt en zegt dat het oké is. Er komen wel meer mensen met honden, maar eigenlijk alleen maar toeristen.
Een meisje zwaait naar Umberto en hij zwaait terug.
'Leuk meisje, Umberto!' zegt Iris plagend.

Het is een van de dolfijnentrainers. Ze lacht naar Umberto en hij lacht verlegen terug.
Ze lopen met Hero naast zich door naar het aquarium, waar ze hun ogen uitkijken. Boven hun hoofden strekt zich het grote glazen plafond uit, waar dolfijnen en kleine potvissen zwemmen. Er zwemmen kleinere visjes en een paar roggen doorheen. Het is een prachtig gezicht! En het verveelt nooit, doordat er iedere keer iets anders te zien is.
'Nou, goedemorgen allemaal!' klinkt een bekende stem.
De kinderen draaien zich om. Daar is Javier. In zijn hand heeft hij een potje.
'Goedemorgen Javier!' roepen ze tegelijk.
Hij moet lachen, zo enthousiast reageren niet veel mensen.
'Wat heb je daar in je hand?' wil Iris meteen weten. Ze kijkt nieuwsgierig naar het potje, waar niets op staat.
'Oh Iris, dat vraag je toch niet!' reageert Amber een beetje boos.
Maar Javier buigt zich naar voren en laat zijn stem dalen terwijl hij antwoord geeft. 'Er is iets vreemds aan de hand met de dolfijnen!' Hij wacht even en kijkt snel om zich heen. 'Ze weigeren te eten en dit is een zeer speciaal kruidenmedicijn voor ze. Ik maak me echt zorgen, want ook de dolfijnen buiten hebben er nu last van. Ze eten zelfs geen haring meer, terwijl ze daar anders zo gek op zijn!'
De kinderen kijken elkaar aan en weten even niet wat ze moeten zeggen.
'Je hebt geen idee hoe het komt dat ze niet meer willen eten?' vraagt Samson.
Javier schudt zijn hoofd. 'Nee, het begon vorige week. Het

duurt nu al drie hele dagen. Ze worden nu zelfs sloom en komen niet echt meer naar me toe als ik het water inga'.
'Maar hoe doe je dat dan? Er zwemmen toch ook haaien in?' vraagt Iris.
'Het zijn geen gevaarlijke haaien hoor. Ze lijken wel eng, maar het zijn hele lieve dieren. Ze kennen me allemaal.'
Javier wenkt de kinderen dichterbij te komen en begint te fluisteren. 'Ik ga iedere avond na negen uur hier naar toe en dan speel ik met ze. Maar ze willen nu ook al niet meer spelen. Mijn baas begrijpt er niets van. Hij heeft al verschillende mensen laten komen, zelfs uit het buitenland, maar ook die begrijpen er niets van. Alles lijkt in orde, de temperatuur, de vis, het water. En toch klopt er iets niet. De baas denkt er nu over om via de verzekering nieuwe dolfijnen over te laten komen, als het niet verbetert. Anders loopt hij een heleboel inkomsten mis, dat begrijpen jullie. Het seizoen is nog maar net begonnen en als de dolfijnen echt vervangen moeten worden...' Javier slikt en er komen tranen in zijn ogen. 'Dat mag echt niet gebeuren, horen jullie! Ik kan mijn dolfijnen niet zomaar weg laten halen! Wie weet komen ze dan wel in een conservenblikje terecht. Ik moet er niet aan denken!'
Umberto heeft aandachtig geluisterd en vraagt Javier wie er zijn geweest om te kijken wat de dolfijnen mankeerden.
'Oh, er is zelfs iemand uit Amerika geweest. Een vrouw, hoe heet ze ook al weer. Uh... ene mevrouw Kendall, geloof ik.'
'Kendall?' herhaalt Amber en kijkt naar Umberto en Iris. Die denken hetzelfde. Dat kan toch niet waar zijn?
'Heette ze toevallig Karen Kendall? Een vrouw met rood

krullend haar?' vraagt Umberto.
Javier knikt verbaasd. 'Ja, dat klopt! Kennen jullie haar?'
De drie kinderen knikken enthousiast.
'We zijn in Amerika geweest, daar heeft Karen een dolfijnencentrum. We kennen haar heel goed. Is ze er nog?' vraagt Amber.
Javier schudt zijn hoofd. 'Volgens mij is ze eergisteren al terug gegaan naar Amerika, maar als jullie dat zeker willen weten moet ik het navragen. Verder is er nog iemand uit Engeland geweest en uit Brazilië en morgen komt er iemand uit Curaçao. Maar dat is toeval, want die moest hier toch al zijn voor zaken.'
'Misschien kan ik vanavond met je mee Javier, dan kunnen we samen kijken waarom de dolfijnen niets willen eten. Ze zijn inderdaad behoorlijk sloom,' reageert Umberto bezorgd. 'Wat gaat er gebeuren, denk je? Ik bedoel, als ze niet beter worden.' Umberto kijkt Javier doordringend aan.
'Die man uit Curaçao komt kijken of hij een bod kan doen. Ik hoop niet dat het nodig zal zijn. Dit spul,' hij wijst op het potje dat hij nog steeds in zijn hand heeft, 'geeft je je eetlust terug. Het is een oud recept van mijn grootmoeder en het heeft mij al vaak geholpen. Vanavond zet ik er een grote pot "thee" van en dan geef ik het ze. Ik giet het gewoon in het water. Normaal gesproken is een vingerhoedje al genoeg, dus dit moet lukken voor het hele aquarium...'
'Wat is het dan?' vraagt Samson nieuwsgierig.
Javier draait het deksel eraf en laat het aan de kinderen zien. Hero springt enthousiast op, maar kan er gelukkig net niet bij. Amber trekt hem aan zijn halsband naar achteren.

‘Foei Hero, zit!’ Hoewel Hero geen Nederlands verstaat gaat hij wel meteen zitten. Dan kijkt ze weer naar het potje dat Javier nog steeds vasthoudt. Het ziet eruit alsof er allemaal kleine zwarte dropjes in zitten. Hier en daar is een gelig bolletje te zien.
‘Het zijn gedroogde bessen en kruiden,’ legt Javier uit. ‘Het is een heel speciaal recept dat alleen mijn grootmoeder maar wist. Dit is het enige potje dat nog over is.’
‘Dan komen wij vanavond naar je toe, kan dat denk je?’ Umberto kijkt hem gespannen aan en wacht op een antwoord.
Javier schuift zijn pet naar achteren en krabt zich even op zijn hoofd. ‘Tja, wat zal ik zeggen. Ik denk dat je eerst beter even naar mijn baas, de directeur, kan gaan. Hij heeft een beloning uitgeloofd voor degene die de dolfijnen binnen een paar dagen beter kan maken. Als je denkt dat het jou kan lukken zou ik dus eerst even naar hem toe gaan. Maar vertel hem niet dat ik ’s avonds met de dieren zwem, dan ontslaat hij me straks!’
Javier kijkt bang.
‘Maak je maar geen zorgen, ik ga nu eerst naar hem toe. En vanavond ben ik er zeker! Dat hoeft je baas nooit te weten te komen, hoor!’ Umberto draait zich om en loopt het aquarium uit, naar een van de trainers bij het bassin. Het meisje van daarnet is er nog en hij vraagt haar of ze weet waar de directeur is. Ze knikt en zegt dat ze hem wel even belt.
‘Hij komt met een minuutje hierheen,’ zegt ze.
Umberto kijkt de anderen aan. Javier staat op een afstandje te kijken en maakt een vragend gebaar met zijn handen.

Umberto steekt een wijsvinger op, als teken dat het een minuutje kan duren.
Niet veel later komt er een dikke Mexicaan aanwaggelen. Hij heeft een enorme buik en een dik, roodbruin gezicht. Hij doet Amber denken aan iemand die ze kent uit hun straat. Die man is altijd onder invloed van alcohol. Haar moeder heeft wel eens gezegd dat die man zoveel drinkt dat hij niet eens meer echt dronken kan worden! Je kan het ook altijd goed zien aan zijn gezicht, dat is altijd rood en opgezet. Net als zijn neus. Dat valt Amber ook meteen op bij de dikke Mexicaan.
Hero begint zacht vanuit zijn keel te grommen. De man werpt het hondje een venijnige blik toe voor hij begint te praten. Amber ruikt duidelijk alcohol. Ze keert haar gezicht af en doet een stap opzij. Bah, wat ruikt dat vies! Knoflook, gekruid eten en alcohol! Ze wilde dat ze niet zo'n scherpe neus had.
Umberto stapt naar voren en stelt zich voor. Dan vraagt hij of hij toestemming kan krijgen om het water in te gaan. Zo kan hij kijken wat er met de dolfijnen aan de hand is.
'No, no, niet in het water!' beslist de man. 'Ze mogen niet nog zieker worden! U komt uit het buitenland toch?' Hij kijkt Umberto argwanend aan.
'Uit Italië, ja,' antwoordt Umberto beleefd. Maar voordat hij verder nog iets kan vertellen duwt de directeur hem weg.
'Ik ga niet aan een kind vragen of hij soms weet wat mijn dolfijnen mankeren! Hoe durf je me lastig te vallen met dit soort onzin! Ik heb wel wat anders te doen dan hier te staan luisteren naar een Italiaans jochie!'

Hij duwt nu ook Samson en Iris opzij en loopt met driftige, waggelende stappen weg. Als hij Javier ziet, snauwt hij wat in het Spaans naar hem.
Snel lopen ze naar Javier toe. De directeur is de hoek om gelopen.
'Wat zei hij nou tegen je?' vraagt Amber.
Javier kijkt naar haar en ze ziet dat hij erg onder de indruk is.
'Hij vertelde me net dat als de dolfijnen niet binnen vier dagen beter zijn, ik naar mijn baan kan fluiten. Hij vindt het mijn schuld dat ze ziek zijn!'
'Wat een onzin!' briest Iris.
'Ik denk dat er hier iets heel anders aan de hand is,' merkt Samson op. 'Er klopt iets niet.'
'Dat is een ding dat zeker is,' besluit Umberto. 'Er gebeuren hier vreemde dingen en als zelfs Karen niet weet hoe het komt, is er hier iets verschrikkelijk mis. Of ze het nu willen of niet, wij gaan het ontdekken!'
'Binnen die vier dagen?' vraagt Amber bezorgd.
'Binnen vier dagen!' belooft Umberto. 'We gaan dit eens haarfijn uitzoeken!'

11 Een overval

De rest van de dag brengen ze op het strand door. In het hotel hebben zich omgekleed en strandspullen opgehaald. Ze ploffen neer in het warme zand. Voor Hero hebben ze een parasol meegenomen en een bakje water. Maar Hero is moe en rolt zich op. Even later slaapt hij lekker. Hij vindt alles best, als hij maar bij ze kan zijn.
'Toch vreemd hè, die hele toestand daar. Dat hebben wij weer op onze vakantie!' zegt Iris.
'Beter toch!' lacht Amber naar haar vriendin. Ze ligt op haar buik en tekent met haar wijsvinger kleine figuurtjes in het zand. 'Stel je voor dat er helemaal niets te beleven viel, dan was onze vakantie lang zo leuk niet. Een beetje actie is toch wel spannend!' Ze lacht naar Iris, die hevig zit te knikken.
'Hé Umberto!' zegt ze, terwijl ze hem aanstoot. 'Kan jij niet iets bedenken om de dolfijnen weer te laten eten?'
Umberto kijkt bedenkelijk. 'Het is moeilijk. Want als er iets in het water zit waardoor ze zich beroerd voelen, kan ik er ook niet direct iets aan doen. Het heeft niets met stress te maken, anders had ik ze wel weer kunnen laten ontspannen en op hun gemak doen voelen.'

'Zou dat goedje van Javiers oma echt werken?' vraagt Iris zich hardop af. Ze kijkt naar Samson, die dromerig voor zich uit ligt te staren. Hij ligt op zijn rug en doet zijn ogen dicht.
'Misschien zijn ze nog wel veel meer van plan. Zijn er niet nog meer dolfijnencentra hier in Mexico?' vraagt Samson ineens.
'Maar natuurlijk!' Amber gaat met een ruk rechtop zitten. 'Dat we daar niet eerder aan hebben gedacht. Als het ze hier lukt, zal het ze in andere dolfijnencentra ook lukken! Misschien is dit wel het eerste zeeaquarium dat ze uit willen proberen! Of er is een andere bende die denkt dat zij het ook kunnen! We moeten ervoor zorgen dat die kerels gestopt worden!'
Samson doet voorzichtig een oog open en kijkt haar aan. Dan begint hij te grijnzen. 'Is dat niet een beetje te veel fantasie,' zegt hij. 'Volgens mij moeten we even in zee gaan afkoelen.' Hij tilt Amber op en draagt haar naar zee.
Hero springt erop af en probeert Samson tegen te houden door voor hem te gaan staan. Hij blaft luid. Samson zet Amber neer en dan rennen ze allemaal achter elkaar aan, de zee in.
Ze stoeien en spetteren elkaar nat. Dan lopen ze langzaam weer terug naar hun handdoeken. Hero rent blij voor ze uit en ploft als eerste op zijn eigen handdoek neer. Iris is het eerste bij hem en draait de parasol iets naar rechts, zodat Hero niet in het zonnetje zit. Hij drinkt gulzig van het water dat voor hem staat. Amber haalt een kluifje uit haar tas en geeft het hem.

'Wat is het hier toch heerlijk!' Amber laat zich voorover op haar handdoek zakken. 'Wie wil er iets te drinken? Het komt uit de koeltas, het is dus nog lekker koud!' Ze haalt een paar blikjes drinken uit haar tas.
'Hé Umberto!' roept Iris ineens, en wijst naar de zee. 'Denk je dat hier ook wilde dolfijnen zwemmen?'
Maar Umberto zit met zijn rug naar haar toe en hoort haar niet. Hij zit naar de zee te staren, denkend aan de dolfijnen en wat hij kan bedenken om de arme dieren te helpen! Het doet hem denken aan hun Amerikaanse avontuur. Daar vonden ze ook dolfijnen in een smerig bassin! Hij vraagt zich net af of het hier ook zo smerig is, als Amber hem aantikt.
Hij kijkt haar vragend aan, en Amber ziet al aan zijn gezichtsuitdrukking dat ze nu beter geen flauwe opmerkingen kan maken. Ze gaat naast hem zitten.
'Wat denk jij ervan?' vraagt ze.
'Van de dolfijnen in het smerige water, bedoel je?' informeert Umberto.
Amber knikt.
'Ik vind dat die kerels zo verschrikkelijk in elkaar steken, daar heb ik geen woorden voor. Ze zien de dolfijnen alleen maar als handelswaar, een product dat je voor veel geld kan verkopen. Walgelijk gewoon! Ik zie de dolfijnen als mijn vrienden, ze zijn gevoelig en intelligent, grappig en speels. Onvoorstelbaar dat er mensen zijn die het niets kan schelen hoe het met deze dolfijnen zal gaan. Het enige waar het die mafkezen om gaat, is dat ze er geld mee verdienen. Maar geld is helemaal niet zo belangrijk. Dat vind jij toch ook

Amber?' Umberto kijkt haar vragend aan. Zijn ogen staan verdrietig.
'Maar natuurlijk joh! Toen wij nog niet zoveel geld hadden, maakte het me niets uit en nu we het wel hebben is het fijn en makkelijk. Maar als mijn ouders morgen weer minder geld zouden hebben, zou ik er niet om treuren.'
'Ik weet het ook wel, maar soms denk ik wel eens: zou al dat geld jullie nou niet een keer veranderen?' antwoordt Umberto. Hij kijkt haar serieus aan.
'Daar hoef je nooit bang voor te zijn, want ik weet wat echt belangrijk is. Mijn ouders leren me wat belangrijk is in je leven. Goed zijn voor een ander, niet alleen aan jezelf denken en delen wat je hebt. En als je merkt dat mensen die zeggen dat ze je vrienden zijn, niets of heel weinig voor jou over hebben, dan zijn het niet je echte vrienden,' besluit ze.
'Helemaal mee eens!' lacht Umberto.
'Hé! Komen jullie nog?' roept Iris plotseling.
'We komen al!' roept Amber terug en ze staat op.
Met hun handdoeken over hun schouder lopen ze naar de boulevard. Ze komen langs het bassin in zee en zien de dolfijnen zwemmen.
'Lijkt het nu maar zo of zwemmen ze nu langzamer dan gisteren?' vraagt Samson zich hardop af. Hij wijst op de achterste dolfijnen.
Umberto speurt naar een trainer, maar ziet niemand. Hij besluit binnen even te kijken waar iedereen is. Hij loopt met Samson naar binnen, terwijl de anderen de dolfijnen in de gaten houden.
'Sst!' Samson houdt Umberto tegen en legt een vinger tegen

zijn lippen. Umberto staat meteen stil en concentreert zich op wat hij voelt en opvangt. Doordat hij doof is, heeft hij zijn andere zintuigen veel scherper ontwikkeld dan iemand die wel kan horen. Even blijft het stil, dan merken ze dat er schuifelende voetstappen naar hen toe komen. Samson houdt zijn adem in en kijkt Umberto aan. Die knikt en maakt een schuivend gebaar naar achteren. Ze trekken zich terug en wachten op de dingen die komen gaan. Umberto voelt het geluid, als een soort trilling. Het duurt even en Samson merkt dat hij moeite heeft om normaal te ademen. Het is alsof iets hem de adem beneemt. Hij voelt de spanning in zijn lijf toenemen, zijn spieren staan strak gespannen. Dan zien ze een man de hoek om komen. Hij sleept iets achter zich aan. Samson ziet iets bekends aan hem, maar hij weet niet precies wat. De man staat met zijn rug naar ze toe. Wat doet hij daar? De man is duidelijk op weg naar de zijdeur even verderop.

Hij draagt dezelfde overall als Javier. Ineens weet Samson wat er aan de hand is. Die overall! Die is veel te groot voor die man! Het zal toch niet waar zijn? Hij geeft Umberto een teken en tegelijkertijd storten ze zich op de man. Ze draaien hem om en Samson herkent direct een van de mannen uit het verborgen aquarium. Op borsthoogte prijkt het naambordje met Javiers naam erop!

'Vertel op! Wat heb je met Javier gedaan!' schreeuwt Samson in het Engels tegen de man. 'En wat heb je daar in die zak van zeildoek gestopt?'

Hij houdt de man stevig vast, terwijl Umberto het touw dat om de zak heen is geknoopt, behendig losmaakt. In de zak

beweegt iets! Het is een zieke dolfijn! Umberto's gezicht vertrekt. Met gebalde vuisten loopt hij op de Mexicaan af, die hulpeloos op de grond ligt.
'Niet doen!' roept Samson verschrikt uit. 'Laat het maar over aan de politie!'
Umberto laat zijn vuist zakken en knikt kort. Hij draait zich weer om naar de dolfijn die, zonder water, uitgeput op het zeildoek ligt. Umberto ziet dat de dolfijn op een soort karretje is neergelegd, het geschuif dat ze hoorden werd veroorzaakt door het zeildoek dat over de grond sleepte.
Samson pakt met één hand zijn mobieltje, terwijl hij met de andere de man in bedwang houdt. Umberto houdt de man ook nog tegen. De Mexicaan kijkt angstig om zich heen. Hij zoekt duidelijk naar mogelijkheden om te vluchten.
'Amber, kom zo snel je kan naar binnen, nu!' Samson klikt zijn mobiel weer dicht en stopt hem weer weg. Dan houdt hij de man weer met beide handen vast.
De anderen zijn met twee minuten bij ze. Vol afschuw kijken ze naar de zwak ademende dolfijn die op het zeildoek ligt.
'Hij moet zo snel mogelijk het water in, kom, help me, dan duwen we hem naar buiten!' Samson knikt.
'Ik hou deze man wel in bedwang, maar schiet wel op! Ik moet er niet aan denken wat er met die arme Javier is gebeurd!'
Ze kijken elkaar geschrokken aan. Dat ze daar niet meteen aan hebben gedacht! Zo snel ze kunnen duwen ze de dolfijn naar buiten. Als ze bij de zij-ingang van het bassin zijn gekomen, snelt een van de verzorgers hen tegemoet. Zijn blik spreekt boekdelen. Hij vraagt niets, maar helpt direct mee

om de dolfijn het bassin in te laten glijden. Voorzichtig laten ze het arme dier het water inglijden. Daar blijft hij even liggen. Het lijkt wel uren te duren, maar het zijn slechts een paar minuten. Dan komt er weer wat beweging in het dier. Langzaam zwemt hij naar de andere dolfijnen.
'Ik ben bang dat ze iets in het water hebben gegooid,' zegt Umberto. 'Gelukkig stroomt er in dit bassin vers zeewater naar binnen door de gaten en kieren in de rotsen. Als het is wat ik denk, worden ze alleen maar wat sloom en blijft de schade beperkt'.
'Laten we maar snel naar Samson gaan, straks kan hij die man niet meer in bedwang houden!' zegt Iris. Ze is bang dat Samson iets overkomt. Als die engerd Javier heeft weten uit te schakelen, wat zal hij dan met Samson doen? Zo groot is Samson nu ook weer niet! Ze rennen snel terug naar binnen. De verzorger holt achter hen aan.
Maar op de plek waar ze Samson hebben achtergelaten, is niemand meer te zien. De deur staat op een kier.
Geschrokken kijken ze elkaar aan. Waar is Samson? En waar is die gemene boef gebleven?

12 Zieke dolfijnen

Ze rennen door de zijdeur en zien nog net hoe de man de achterklep van een donkerblauw busje dichtgooit. Dan stapt hij in en rijdt met piepende banden weg, de boulevard op. Umberto rent er achteraan en probeert te lezen wat er op het nummerbord staat. Maar er is helemaal geen nummerbord te zien!
De anderen weten niet wat ze moeten doen.
'Samson zal toch niet in dat busje zitten?' piept Iris. Angst knijpt haar keel dicht en ze pakt de hand van Amber stijf vast.
'Laten we eerst maar eens kijken waar Javier is,' zegt Umberto rustig.
Met z'n allen lopen ze naar de gang op zoek naar Javier. Ze zien hem nergens. Hoe kan dat nou? Hij kan toch niet opgelost zijn? Amber kan er niets aan doen, maar ze vindt het erg dat ze niet weet waar Samson is. Natuurlijk vindt ze het vreselijk dat Javier ook nergens te vinden is, maar dat Samson weg is vindt ze ronduit verschrikkelijk! Ze loopt achter de anderen aan die luid de naam van Javier roepen.
Dan geeft Umberto een teken dat ze stil moeten zijn. Hij

voelt iets trillen, alsof er iemand op een muur klopt. Hij legt zijn hand op de muur naast zich en knikt tevreden. De anderen kijken hem verbaasd aan, ze horen niets. Umberto loopt een klein stukje door en voelt weer aan de muur, dan loopt hij sneller en sneller totdat hij bij de volgende deur is aangekomen. Hij doet de deur open, 'luistert' even met zijn hand op de muur.
Ze lopen verder door een smalle gang.
'Daar!' Umberto wijst ze op een man die kreunend op de grond ligt.
Het is Javier! Maar geen spoor van Samson! Amber kijkt toe hoe Umberto en Iris proberen de touwen waarmee hij is vastgebonden los te maken. De Mexicaan zit in zijn ondergoed en er is dik plakband over zijn mond geplakt. Voorzichtig haalt Iris het eraf.
'Die ratten! Als ik ze in mijn handen krijg!' briest Javier. Hij probeert op te staan en wankelt even. Umberto en Iris houden hem stevig vast.
'Waar is Samson?' vraagt Amber aan Javier. Die kijkt haar verbaasd aan. Ze legt hem vlug uit wat er is gebeurd.
'Kom maar mee, ik denk wel dat ik weet waar ze hem hebben achtergelaten,' antwoordt Javier.
Ze lopen de gang door en komen via een andere deur bij de binnenplaats waar het busje stond. Javier doet een kastje open, er hangen allemaal sleutels in. Hij pakt een sleutel met een rood labeltje eraan. Dan doet hij de deur van een grote kast open en daar zit Samson, gehurkt op de vloer. Iris trekt hem samen met Amber omhoog.
'Jeetje, Samson, gaat het?' vraagt Iris bezorgd.

Samson knikt. 'Jawel hoor, ik ben alleen heel erg geschrokken. Er kwamen ineens twee andere mannen aan. Die moesten onze boef waarschijnlijk helpen om de dolfijn in het busje te hijsen. En tegen drie man kon ik echt niet op!' Samsons gezicht staat verdrietig.
'Nou, gelukkig hebben we je weer gevonden! En Javier ook!' roept Amber uit.
'Gaat het echt wel met je?' vraagt Iris nog een keer.
Samson knikt flauwtjes, hij heeft het gevoel dat hij wankel op zijn benen staat. Het hele voorval heeft hem behoorlijk aangegrepen.
'Wat doen we nu, Javier?' vraagt Umberto.
Maar die haalt zijn schouders op.
'Misschien kunnen we achterhalen wie er allemaal zo goed de weg weten in het aquarium!' merkt Samson op. 'Volgens mij heeft die ene kerel hier gewerkt, want hij wist precies waar hij moest zijn.'
'Ik zal het eens navragen bij de trainers,' antwoordt Javier.
'Terwijl ze mij naar deze kast sleepten, hoorde ik ze praten. Ik kon niet alles verstaan, maar ze hadden het over Cancun. Ze zouden daar iemand ontmoeten tegenover een hotel, El Dorado of zoiets. Die kerels dachten dat ik bewusteloos was. Ze spraken Engels met elkaar, het waren dus niet alleen Mexicanen,' vertelt Samson.
'En een hiep-hiep-hoera voor onze eigen Sherlock Samson!' roept Iris ineens luid. Ze schieten allemaal in de lach en de sfeer wordt meteen iets meer ontspannen.
'Nou, kom op Sherlock! We gaan kijken of ze nog iets lekkers hebben in het hotel, ik heb me toch een enorme trek!'

Iris sleurt Samson met zich mee en roept in het voorbijgaan naar Javier dat hij niet moet vergeten zijn speciale thee-mengsel bij de dolfijnen te gieten. Hij knikt en zwaait de kinderen na. Dan sloft hij terug naar binnen om even bij te komen van alles wat er is gebeurd.

Voor het hotel staat een grote groep Engelsen. Een van hen gedraagt zich behoorlijk opvallend. Hij heeft golfkleding aan en kijkt onrustig om zich heen.
Door de poort komt een taxi aanrijden. De man kijkt even schichtig om zich heen en stapt dan snel in.
De kinderen stoten elkaar aan. 'Zag je dat? Is dat niet vreemd? Er staat een grote groep Engelsen die kennelijk net zijn aangekomen en een van hen gaat direct weg. En hij kijkt alsof hij bang is dat anderen hem zien weggaan!' zegt Iris verbaasd.
'Er gebeuren hier rare dingen,' fluistert Samson terwijl ze langs de groep Engelsen naar binnen lopen.
Ze nemen de lift naar boven en gaan ieder naar hun kamer. Even later klopt Samson op de deur van de meiden.
Iris doet open.
'Ik wil even vertellen dat Umberto en Hero naar Javier zijn gegaan. Umberto wil vanavond het water in om te zien of hij iets kan ontdekken aan de dolfijnen. Hij eet daar wat.'
Iris knikt en denkt tegelijkertijd hoe dapper ze Umberto altijd vindt. En dat hij zoveel doet voor de dolfijnen.
'Zullen wij dan vanavond ook daar naartoe gaan?' vraagt Amber.
Iris kijkt Samson aan en knikt. 'Dat lijkt me een goed plan.

Wie weet komen we nog iets te weten. Of misschien komt een van die boeven nog terug!' voegt ze eraan toe.
'We knappen ons eerst even op en komen dan met een minuut of vijf beneden, oké?' zegt Amber.
Samson knikt en loopt weer terug naar zijn eigen kamer. De meiden kammen hun haren en wassen hun gezicht en handen. Dat moet even voldoende zijn!
Beneden in de eetzaal komen ook net Ambers ouders binnenlopen.
'Zo, wat een timing!' zegt haar moeder en klopt haar dochter goedkeurend op haar rug. 'Hé, is Umberto er niet? En Hero? Waar is die gebleven?' Ze kijkt om zich heen, maar ziet niets.
'Oh mam, die zijn even naar de dolfijnen. Umberto eet daar wat met de trainers,' antwoordt Amber.
'Oké,' zegt haar moeder. Dan begint ze te praten over Cancun, daar gaan ze morgen naartoe.
Amber en Iris kijken elkaar aan. Dat waren ze vergeten. Ze gaan naar Cancun! Dan kunnen ze misschien wel naar dat dure hotel!
'Ja, leuk!' roept Amber. 'Ik vind het helemaal te gek om naar Cancun te gaan. Kunnen we daar ook winkelen? Ik wil wel iets leuks als souvenir meenemen naar huis.' Ze wacht even en smeekt dan bijna: 'Mogen we dan ook met z'n vieren op pad, mam?'
'Nou, daar wil ik het nog even over hebben met je moeder,' zegt haar vader. 'Wat vind jij Patries? Kunnen ze dat al aan denk je?'
Haar moeder kijkt bedenkelijk.

'Het is een grote stad en ik moet zeker weten dat jullie mobiel bereikbaar zijn. En ik wil dat jullie in de buurt blijven. Maar eigenlijk zou ik het prettiger vinden als er iemand bij kon zijn. Een volwassene bedoel ik.'
'Mam, we zijn met twee jongens en een hond! Wat kan ons gebeuren?'
'Nou, dat weet je bij jullie maar nooit. Jullie hebben elke vakantie al wilde avonturen beleefd, wie zegt dat dat nu ook niet gebeurt?' voegt haar vader eraan toe. 'Bovendien kan jullie van alles gebeuren, de Mexicaanse steden kennen een zeer hoge criminaliteit. Ik vind het niet goed als jullie alleen in een onbekende stad rondzwerven.'
'Criminali... wat?' vraagt Amber.
'Dat er veel boeven rondlopen, bedoelt je vader,' legt Samson uit. 'Je weet wel, zakkenrollers en zo.'
'Misschien dat Javier mee kan? Zou hij dat willen?' vraagt Iris.
'We kunnen het hem altijd vragen,' oppert Samson. 'Hij vindt het vast niet fijn om zijn dolfijnen een dag te missen, maar misschien maakt hij voor deze ene keer een uitzondering.'
'Is die man wel te vertrouwen?' vraagt Ambers vader. 'Jullie kennen hem niet echt. Wie weet is het wel een man die kinderen ontvoert?' Zijn gezicht staat bezorgd.
'Dan stellen we hem toch eerst aan jullie voor! Dan kunnen jullie zelf zien dat het een eerlijke man is!' voegt Amber toe.
'Dat lijkt me een goed idee, Amber.' Haar vader heft zijn glas. 'Proost iedereen! Op een prachtige dag in Cancun!'

Ze proosten allemaal, de glazen maken een vrolijk tinkelend geluid.

Na het eten gaan ze snel nog even naar het bassin in zee. Umberto is er ook en hij vertelt dat hij de dieren er een stuk beter uit vindt zien dan de dolfijnen binnen. Daar gaat het helemaal niet goed; de dieren liggen daar op hun zij en ademen onregelmatig.
Umberto is bij ze geweest in het water. Heel voorzichtig, want hij wilde niets van het water binnen krijgen. Hij probeerde ze op hun gemak te stellen, maar ze reageerden amper op zijn toenaderingen.
'Het ziet er slecht uit,' zegt hij bezorgd. 'We gaan zo de thee van Javier in het water doen. Het moest een paar uren trekken. Laten we hopen dat het werkt!'
Opeens komt Hero de gang doorstuiven en springt luid blaffend tegen ze op. Samson bukt en krijgt een grote lik over zijn neus. Met een vies gezicht veegt hij het af. Iris schiet in de lach als ze het ziet.
'Ik vind hem echt onwijs lief hoor,' zegt Samson, 'maar dat gelik, daar hou ik niet zo van!'
De anderen moeten lachen om het vieze gezicht dat hij trekt.
Ze lopen door naar achteren en gaan via een zijdeur naar binnen.
Aan het einde van die ruimte is een smalle trap naar boven. Bovenaan de trap staat Javier met de afgekoelde thee in een grote emmer.
'Een, twee, drie,' telt Umberto en op de derde tel giet

Javier het mengsel in het water. Het water kleurt even wat donkerder, maar al snel is het mengsel volkomen opgelost. De dolfijnen zien ze niet.
'En nu maar afwachten,' zegt Javier. 'Meer kunnen we niet doen. Laten we hopen dat het voor die arme beestjes net zo goed werkt als dat het voor mij altijd heeft gewerkt'.
'Ben je al iets wijzer geworden over die boef die hier zo goed de weg wist?' vraagt Iris nieuwsgierig.
Javier schudt zijn hoofd. 'Nee, er zijn veel wisselingen geweest de laatste jaren. En we hebben niet echt een goed signalement van die mannen. Samson was zo geschrokken dat hij het niet meer goed wist.'
'Ik weet wel dat het een dikke man was, want ik zakte helemaal in zijn buik weg,' merkt Samson op. 'En hij stonk verschrikkelijk!'
Ineens gaat er een lichtje op bij Amber. Een dikke man die stonk? Ze draait zich om naar Samson en begint te vragen: 'Stonk hij soms naar alcohol?'
Samson knikt van ja.
'En naar knoflook en kruiden? En tabak?'
Samson staart haar verbaasd aan en knikt nog een keer.
'Ja, een verschrikkelijke lucht! Ik viel bijna flauw van die stank!'
Ambers gezicht staat strak. Ze denkt koortsachtig na, een dikke man met die stank, dat kan er maar een geweest zijn...'
'Ik denk dat ik weet wie die man is die de weg hier zo goed kent!' begint ze.
'Wie dan?' vraagt Samson verbaasd.

Umberto kijkt naar Amber, hij weet het ineens ook! Dat hij daar zelf niet op gekomen is!
'Wie dan?' vraagt Iris ongeduldig.
'De directeur van dit mooie zeeaquarium!' antwoordt Amber triomfantelijk. 'Hij verkoopt de dolfijnen gewoon door aan anderen. En wedden dat hij ze eerst naar dat smerige bassin brengt, waar ze in bijna zwart water moeten zwemmen!'
Ze is helemaal opgewonden en heeft er een rood hoofd van.
'De schoft!' reageert Iris snuivend.
Samson fluit zachtjes. 'Wat een ongelooflijke rotzak! Dat doe je toch niet, dieren ontvoeren en verkopen.'
Hero gaat zitten en blaft hard. Het lijkt wel alsof hij zegt: 'Dat vind ik ook!'
'Zie je dat, Hero had die kerel meteen al door. Hij begon toch te grommen toen hij die man zag! Dat deed hij om ons te waarschuwen!' roept Amber uit.
'En?' vraagt Umberto ondertussen aan Javier. 'Beginnen ze alweer wat meer te bewegen?'
Gespannen kijken ze in het water, maar de dolfijnen blijven weg.
'Het is denk ik nog te vroeg om er iets van te zeggen,' antwoordt Javier. 'Ik blijf vannacht wel hier slapen, dan kan ik alles in de gaten houden. Van mijn baas hoef ik in ieder geval geen enkele steun te verwachten, dat is duidelijk!' Hij knijpt zijn ogen een beetje dicht en ze horen hem knarsetanden.
'Javier, denk je dat je morgen met ons mee kan gaan naar Cancun?'

Javier schudt zijn hoofd en kijkt bedenkelijk. 'Ik ga liever niet bij mijn dolfijnen weg hier, ze hebben me nodig. Maar hoezo?'
'We mogen morgen niet alleen in Cancun op pad van mijn ouders. Terwijl we daar op zoek willen naar het dure hotel waar die boeven het over hadden.' Ze kijkt teleurgesteld naar de grond en voelt de tranen in haar ogen prikken.
'Oh, maar dan bel ik mijn neef wel even,' stelt Javier voor. 'Dat is een aardige man die veel als gids werkt. Hij kan jullie veel over Cancun vertellen en op jullie passen. Wacht maar even, ik bel hem meteen.' Hij voegt de daad bij het woord en belt zijn neef Castillo. Spaans geratel klinkt, dan besluit Javier het gesprek met een glimlach. 'Geregeld! Ik zal zijn nummer even voor jullie opschrijven.' Javier scheurt een blaadje uit een notitieboekje dat hij altijd bij zich heeft, en schrijft het nummer van Castillo op. 'Hier, bel hem maar als jullie er zijn. Hij woont in Cancun en kan er zo zijn. Of beter, bel hem maar een halfuurtje voordat jullie er zijn, dan komt het helemaal goed.'
Het levert hem een dankbare blik op van Amber. Ze draait zich om naar de anderen.
'We moeten nu echt terug, anders worden mijn ouders ongerust en ik wil niet dat ze dan zeggen dat we morgen niet zonder hen de stad in mogen. Morgen zou nog wel eens een belangrijke dag kunnen worden bij dat hotel!'

13 Cancun

De volgende morgen staat iedereen vroeg op, ze willen niet te laat in Cancun zijn. Beneden in de ontbijtzaal zijn ze de eersten.
Iris propt haar mond vol met een soort zoete koekjes met zachte vulling. 'Pasteitjes à la Mexico!' roept ze. Ze laten zich de warme tortilla's en de zoete pannenkoeken die er liggen goed smaken. Dan wordt er een grote schaal met fruitsalade neergezet.
'Met de complimenten van de kok, omdat jullie alles wat hij maakt zo heerlijk vinden!' zegt het meisje dat bedient.
'Dank je!' stamelt de vader van Amber verbaasd.
'Pap, kijk eens, ik heb een ster!' Amber laat een stervormig stukje fruit zien.
'Je bent een ster en je verdient een ster!' antwoordt haar vader bijdehand. 'Ik heb trouwens geïnformeerd naar een gids die ons zou kunnen helpen vandaag. Eentje die jullie iets kan laten zien en een oogje in het zeil houdt. Bij de receptie noemden ze onder andere ene Castillo. Een goede gids, hij schijnt familie te zijn van een man die hier in het zeeaquarium werkt. Dus dat is geregeld. Wij gaan met ene

Juan Antarez mee, dat is een wat oudere man die veel weet te vertellen over de Maya's. Ik hoorde dat ze beiden zijn aangesloten bij een erkend bureau dat gidsen verhuurt. En volgens de hoteleigenaar zijn het betrouwbare mensen. Maar dat neemt niet weg dat jullie zelf ook moeten oppassen. Bij elkaar blijven en let op je geld, sieraden en mobieltjes. Steek ze goed weg, diep in je tas of gebruik anders een portemonnee die je om je nek kunt doen, die hebben ze bij de receptie. Lijkt me erg verstandig!'
Amber vliegt haar vader om zijn nek. 'Oh, pap! Wat ben je toch zorgzaam en lief! We hadden al over Castillo gehoord, via Javier. Het is zijn neef en we hebben zijn nummer al gekregen van hem. Wat toevallig zeg!'
'Niet in mijn oor, alsjeblieft!' waarschuwt haar vader, maar het is al te laat. Amber drukt een dikke klapzoen op zijn oor.
'Nou eh, bedankt dan maar, zou ik zo zeggen, al heb ik nu waarschijnlijk de rest van de dag een oor met een túúút erin!' Maar desondanks glimlacht hij naar Amber.
'Is iedereen zover?' vraagt Ambers moeder.
'Wie er het eerste is!' daagt Iris de anderen uit en ze rent meteen weg van tafel. De rest kijkt haar verbaasd na. Dan schuiven ze snel een voor een hun stoelen weg, Amber klimt zelfs over de stoel van Samson heen en rent hem voorbij richting de uitgang.
'Zie me maar eens in te halen!' roept ze uitdagend.
Ambers ouders kijken elkaar lachend aan.
'Dat heeft ze echt van jou, dat ondeugende,' zegt Ambers vader tegen zijn vrouw.

'Maar de snelheid die heeft ze toch echt van jou!' antwoordt Ambers moeder vrolijk en tikt hem plagend op zijn neus.
'Nou, kom! Anders zijn ze er echt nog eerder dan wij!' grapt hij terug. Ze schuiven hun stoelen naar achteren en lopen naar de uitgang. Een nette Engelsman bekijkt hen aandachtig. Ambers ouders zijn zo druk in gesprek dat ze niet merken dat ze gevolgd worden.
Buiten staan de vier kinderen hen al op te wachten.
'Hebben jullie nou nog van die portemonnees gehaald bij de receptie?' vraagt Ambers vader.
'O nee, vergeten,' roept Amber. En ze stormt weer naar binnen.
Als ze de deur door rent, ziet ze nog net hoe iemand zich in een nis terugtrekt. Ze aarzelt even, maar dan schudt ze haar hoofd. Ze moet nu niet denken dat er overal boeven zijn!

'Zijn jullie er nu echt helemaal klaar voor?' vraagt Ambers vader even later.
'Ai, ai Sir!' lacht Iris baldadig en knijpt Amber even in haar bovenarm. Die knijpt meteen terug. Het is een soort onderonsje tussen de twee meiden, iets dat ze meestal doen als ze iets heel spannend vinden.
Amber kijkt nog een keer naar de ingang van het hotel en ziet een man staan. Het is die Engelsman van gisteren, die met de taxi wegging, denkt ze. Ze stoot Iris aan en wijst met haar hoofd naar de ingang. Iris kijkt meteen en staart geschrokken naar Amber.
'Dat is die man van gisteren,' fluistert ze.
De meisjes kijken elkaar aan. Als ze weer opkijken, is de

man verdwenen. Een koude rilling loopt langs Ambers rug, een teken dat er iets gaat gebeuren. Dan stappen ze bij de anderen in het taxibusje.
Onderweg praten ze honderduit over Mexico, de chauffeur vertelt veel en voor ze het weten zijn ze al in Cancun. Ze stappen uit en zien hoe Ambers vader de man een fooi toestopt, wat hem een dankbare blik van de chauffeur oplevert. Dan neemt Ambers vader het woord.
'Mooi, dan gaan we nu even goed afspreken wat we gaan doen. Heeft iedereen zijn mobieltje bij zich? En hebben jullie die allemaal opgeladen?' Er wordt heftig van ja geknikt.
'Dan zien we elkaar hier vanmiddag om vijf uur weer.'
Ambers moeder kijkt ze bezorgd aan.
'We wachten eerst even totdat jullie gids er is, of komt hij daar al aan?'
Ze draaien zich om en zien een jonge Mexicaan hun richting op komen. Hij heeft een vrolijke uitdrukking op zijn gezicht en begroet hen hartelijk.
'Castillo de Perez,' stelt hij zich met een brede glimlach voor. 'Ik ben jullie gids. Verstaan jullie allemaal Engels?' Hij kijkt de kinderen een voor een aan.
'Yes!' antwoordt Samson grijnzend.
'U bent meneer van Delden, en dit is uw vrouw?' informeert Castillo.
'Dat klopt helemaal. Let alsjeblieft goed op dit stel kinderen, want ze hebben al menig avontuur beleefd,' zegt Ambers vader.
'Daar kunt u van op aan. Ik heb van mijn oom al gehoord dat ze veel belangstelling hebben voor Mexico. Dat is mooi.

We maken er een fijne dag van en ik lever ze vanmiddag persoonlijk hier weer af.'
'Letten jullie echt heel goed op, lieverds?' zegt Ambers moeder nog een keer. 'Want ik wil niet dat jullie iets overkomt. En geen rare avonturen opzoeken dit keer hè!'
Ze steekt waarschuwend en lachend een vinger omhoog.
'Ja, mam. Tuurlijk zullen we opletten. Maak je nou maar niet ongerust.' Amber geeft haar moeder spontaan een zoen. 'En we zullen bellen als er iets is.'
'Goed naar de gids luisteren, hoor!' voegt haar moeder er nog aan toe.
Amber kijkt de anderen aan en ze knikken allemaal braaf.

De gids laat hun wat leuke straatjes van Cancun zien. Straatjes met winkeltjes en talloze restaurantjes. Dan komen ze op een pleintje met allemaal mooie, Mexicaanse huizen. Op het plein spelen een paar kleine kinderen en in een hoek staat een groepje muzikanten.
'Dat zijn mariachi's,' vertelt Castillo. 'Ze zingen op bruiloften en partijen maar ook gewoon op straat. Het zijn levensliederen die ze zingen, een soort smartlappen. Mooi hè!'
Ze blijven even staan kijken. De kinderen kijken hun ogen uit, de mariachi's zijn prachtig gekleed. Mooie Mexicaanse kostuums met goud en zilver erop geborduurd, over hun schouders dragen ze een soort dubbelgeslagen omslagdoek. En ze hebben prachtige hoeden op. Plotseling begint een dikke dame te zingen, en hoewel ze er niets van verstaan vinden ze het toch erg mooi. Als ze uitgezongen is, begint de muziek weer te spelen.

Een paar straten verderop zien ze weer een groepje muzikanten, ditmaal met marimba's, een soort xylofoons. De stokjes met vilten dopjes vliegen over het instrument. Het geeft een warm, melancholisch geluid. Er staan mannen en vrouwen bij met trommels, fluiten, belletjes en grote schelpen. Het is heel apart, denkt Iris.
'We zijn hier eigenlijk met een speciale reden, Castillo,' begint Amber uit te leggen.
De gids grijnst en legt een vinger tegen zijn lippen.
'Ik weet alles al. We gaan vandaag dan ook geen tempels of bezienswaardigheden bekijken. Dat heb ik al van mijn oom Javier doorgekregen.' Zijn ogen twinkelen, hij vindt dit duidelijk veel leuker.
'Zullen we dan eerst maar eens kijken of we die engerd kunnen vinden?' stelt Amber voor. 'Bij het hotel El Dorado.'
Iedereen vindt het een goed idee en ze lopen door de straatjes, op zoek naar een taxibusje om naar dat hotel te gaan.
Opeens stoot Samson Amber aan.
'Kijk daar eens!'
Aan de overkant zien ze hoe een kleine, dikke Mexicaan de stoep op loopt. Hij waggelt en mensen gaan snel voor hem opzij.
'Nou ja, wat een toeval!' zegt Iris. 'Nu hoeven we niet meer op zoek naar dat hotel.'
De man heeft niet in de gaten dat ze hem hebben gezien. Hij gaat een café binnen.
'Wat doen we? Er achteraan?' vraagt Umberto en wijst naar het café. Op de gevel van het café staat in grote letters *El Dorado*...

Hero trekt aan zijn riem, Samson houdt hem stevig vast.
'Ik heb het gevoel dat we beter even kunnen wachten,' zegt Amber en ze wijst op een tweede man die naar binnen loopt. Het is een van de mannen die ze hebben gezien bij het smerige aquarium!
Castillo trekt zijn wenkbrauwen op en fluit zacht. Inderdaad toevallig dat ze de mannen hier nu tegenkomen.
'Kom, laten we gaan kijken,' zegt Samson. Hij loopt snel door en de rest volgt hem op de voet. Ondertussen kijken ze goed om zich heen of ze nog meer bekende mannen naar binnen zien gaan. Bij het café aarzelen ze even. Wat zullen ze doen? Plotseling stopt er een blauw busje. Hetzelfde busje waarin die mannen wegreden bij het aquarium! Vlug lopen ze door zonder om te kijken. Pas als ze op veilige afstand zijn, durven ze weer te kijken. Uit het busje komen drie mannen, die snel het café binnengaan.
'Zullen we even kijken wat ze in dat busje hebben?' stelt Samson voor. Umberto knikt naar de anderen. 'Dat lijkt me een goed idee.'
Castillo volgt de kinderen als laatste en kijkt goed om zich heen.
Samson en Umberto lopen naar het blauwe busje, terwijl Amber en Iris op de uitkijk blijven staan. Ze houden de ingang van het café heel goed in de gaten. Als er iemand aankomt zullen ze heel hard fluiten, hebben ze net afgesproken. De jongens lopen naar het busje toe en kijken naar binnen...
Wat ze daar zien beneemt ze letterlijk de adem!

14 De ontdekking

In het achterste gedeelte van het busje zien ze een soort tank gevuld met water, ernaast liggen twee dikke touwen. Over de tank heen ligt een stuk zeildoek. Dat komt de jongens bekend voor!
'Dat zeildoek ziet er precies hetzelfde uit als dat waarin die arme dolfijn was gewikkeld...' stamelt Samson.
Umberto staat met gebalde vuisten te kijken. Hij voelt tranen van woede in zijn ogen springen. Samson schudt zijn hoofd, hij vindt het vreselijk dat er mensen zijn die dolfijnen ontvoeren, alleen maar omdat ze er veel geld mee kunnen verdienen.
'Laten we maar teruggaan naar de meiden en vertellen wat er in dit busje te zien is,' stelt Umberto voor.
Amber en Iris kijken de jongens afwachtend aan.
'En?' vraagt Iris gespannen. 'Wat was er te zien?'
'Ja, wat zat er in dat busje? Vertel!' smeekt Amber.
Castillo staart naar het busje en luistert rustig naar wat de jongens vertellen.
Somber vertelt Samson wat ze zojuist hebben ontdekt.
'De smeerlappen!' reageert Iris fel. 'Ze moesten dat ook

eens bij die gemene boeven doen, ze in een stuk zeildoek rollen, zodat ze amper lucht krijgen. Echt, dan piepen ze wel anders! Dan kunnen ze zelf eens voelen wat ze die dieren aandoen. Misschien doen ze het dan niet meer!' Ze aait Hero over zijn kop en klopt hem zachtjes op zijn rug.
'Ik geloof niet dat het zal helpen om even gemeen terug te doen,' oppert Samson. 'Die mannen moeten zelf inzien dat het fout is wat ze doen. Volgens mij zien ze een dolfijn alleen maar als een ding dat geld op kan brengen.'
'Misschien helpt het als alles gefilmd zou worden. Als ze dan worden opgepakt en met eigen ogen zien wat ze met die arme dolfijnen hebben gedaan,' voegt Amber toe.
'Dat is nog niet eens zo'n slecht idee!' reageert Iris enthousiast.
'En het zou een nog betere straf zijn als ze dan ook nog langs alle scholen moeten om over dolfijnen te vertellen. Over hoe intelligent, lief en behulpzaam dolfijnen altijd voor elkaar en de mensen zijn,' gaat Amber verder.
Ondertussen stopt er een taxi voor het café. De kinderen staan zo druk te praten dat ze het eerst niet in de gaten hebben. Opeens ziet Samson vanuit zijn ooghoeken een bekende gestalte uit de taxi stappen. 'Snel! Weg hier!' sist hij.
De manier waarop Samson praat, zorgt dat de anderen meteen doen wat hij zegt. Ze lopen snel verder en schieten de hoek om. Iris en Amber stoppen en kijken Samson angstig aan. Hero begint diep vanuit zijn keel te grommen en staat stokstijf. Iedere spier in zijn lijf is gespannen.
'Wat zag je Samson?' vraagt Iris. 'Waarom moesten we daar weg? Die mannen kwamen toch nog niet naar buiten?'

Umberto legt een vinger tegen zijn lippen en Iris houdt meteen haar mond. Na een minuut durft Umberto als eerste zijn hoofd om de hoek te steken. Hij ziet nog net hoe de Engelsman het café in gaat. Hij draait zich om naar de anderen en vertelt wat hij heeft gezien.
'Wat moet die kerel toch iedere keer in de buurt van ons of die andere mannen? Zou hij ons gevolgd hebben?' vraagt Amber zich hardop af.
Ze kijkt even naar Hero. De hond is gaan zitten en kijkt trouw naar haar op.
'Misschien is het een undercoveragent! Je weet wel, een politieagent in burger die net doet of hij een boef is, zodat hij erachter kan komen wat er aan de hand is,' oppert Samson.
'Dat lijkt me sterk,' zegt Castillo hoofdschuddend. Hij knippert met zijn ogen en kijkt de kinderen een voor een aan. 'Dit is iemand die wel eens de leider van die hele bende zou kunnen zijn.'
'Waarom denk je dat?' vraagt Iris.
'Omdat hij er als een zakenman uitziet. Je weet wel, keurig in het pak. Hij weet volgens mij precies wat hij wil,' antwoordt Castillo.
Even zijn ze stil.
'Nou, blijven we hier staan of gaan we ontdekken hoe het in elkaar zit?' vraagt Amber dan opeens. Ze steekt haar hoofd om de hoek. 'Alles is veilig, kom maar!' Ze gebaart de anderen haar te volgen naar het café. Hero loopt al snuffelend met ze mee.
'We moeten eigenlijk ongemerkt dichterbij zien te komen. Is er geen zij-ingang of zoiets?' vraagt Samson zich af.

'Daar!' Iris wijs opgewonden naar een open raam in de steeg naast het café. 'Daar kunnen we doorheen.'
'Ja, wat wil je daarmee zeggen?' vraagt Amber.
'Nou, een van ons kan daardoor klimmen en in het café komen. En natuurlijk proberen uit te vinden wat die boeven aan het doen zijn! Jij bent het smalst van ons allemaal, Samson. Kom, hijs je eens op en vertel wat je ziet!' Amber maakt een kommetje van haar handen en gebaart dat hij dat als opstapje kan gebruiken om naar binnen te klimmen.
Samson aarzelt even. 'Maar wat moet ik dan doen binnen, zonder op te vallen?'
Eigenlijk durft hij niet zo goed, maar hij durft ook geen nee te zeggen.
'Verzin maar iets. Weet je wat,' gaat Iris verder, 'je doet alsof je een baantje zoekt. Dat ga je vragen aan de barkeeper. Dat kan toch wel?' Ze kijkt de anderen hoopvol aan.
'Tja, dat moet wel lukken,' zegt Samson. Hij zet een voet in de handen van Amber en hijst zich omhoog. Heel voorzichtig kijkt hij wat er achter het raam te zien is.
'Het is de wc!' fluistert hij opgelucht. Hij glipt naar binnen, de anderen horen een zachte plof. Hero houdt zijn kop schuin en staart naar de muur. Zijn oren heeft hij gespitst
'Alles goed?' informeert Umberto.
'Ja, ik ga verder. Op zoek naar de bar.'
'Oké! Wij houden de voorkant in de gaten. We komen na tien minuten weer terug en kloppen dan twee keer op de muur. Dan halen we je weer op, goed?'
'Oké! Tot zo!' roept Samson zachtjes terug.
'Het is toch wel een goed plan?' vraagt Iris benauwd.

'Ja, stel je voor dat ze hem nog een keer pakken en opsluiten,' mompelt Amber nerveus. Ze rilt even. Ze wil er liever niet aan denken wat er allemaal kan gebeuren.
Zo onopvallend mogelijk hangen ze bij het café rond. Plotseling klinkt er een luid gestommel en gevloek. De dikke Mexicaan komt naar buiten gewaggeld. Zwalkend loopt hij naar het busje. Hij doet de achterklep open en knikt goedkeurend als hij ziet wat erin ligt. Dan smijt hij de achterklep met een klap weer dicht en gaat terug naar binnen.
Niet veel later komen er drie mannen naar buiten, vergezeld door de Engelsman. Met z'n allen stappen ze in het busje. Met gierende banden verdwijnen ze om de hoek.
Ze kijken elkaar aan en zonder iets te zeggen, rennen ze terug naar het steegje. Ze kloppen twee keer op de muur, maar horen niets. Weer kloppen ze op de muur, maar het blijft stil. Akelig stil...
Waar is Samson?
Umberto voelt hoe het bloed uit zijn gezicht wegtrekt. Stel je voor dat er iets met Samson is gebeurd? Hij gebaart Castillo naar de voorkant te lopen om daar de boel in de gaten te houden. Zijn gezicht staat nu ook erg bezorgd.
De meisjes staren elkaar aan. Er zal hem toch niet iets zijn overkomen? Die arme Samson! Iris merkt dat ze bijna moet huilen, en ook Amber staat het huilen nader dan het lachen. Wat moeten ze nu doen?
Amber trekt Umberto aan zijn shirt en gebaart hem dat ze door het raam wil kijken. Hij maakt een kommetje van zijn handen en Amber hijst zich behendig op. Ze kijkt naar binnen, maar alles is stil en leeg. Nergens ziet ze een spoor van

Samson. Ze laat zich weer zakken en kijkt de anderen hoofdschuddend aan. Waar is hun vriend Samson gebleven?
Dan draait Umberto zich om en loopt de steeg uit. De meiden volgen.
'Hé, wacht even! Er was toch nog een Mexicaan, die man die als eerste naar binnen ging! Heb jij die al naar buiten zien komen, Castillo?' vraagt Amber.
De gids schudt zijn hoofd.
'Mmm, vreemd.' Amber weet niet goed wat ze ervan moet denken.
Ze staan met hun rug naar het café en hebben niet in de gaten dat er iemand naar hen toeloopt. Opeens voelt Umberto een hand op zijn schouder. Van schrik blijft hij doodstil staan. Wie kan dat zijn? Toch niet die Mexicaan? Langzaam draait hij zich om en staat oog in oog met Samson! Umberto slaakt een kreet van blijdschap. De anderen kijken nu ook om en joelen opgelucht.
'Samson, je bent er weer!'
'Waar was je nou?'
'Wat is er gebeurd?'
'Ja, waar was je nou?' vraagt Castillo. 'Waar kom jij ineens vandaan? Wij stonden daar bij dat wc-raampje op je te wachten.'
'Ja, maar dat was veel te hoog, daar kon ik nooit meer door terug,' lacht Samson.
'Maar hoe ben je dan naar buiten gekomen?' vraagt Iris. Ze kijkt hem onderzoekend aan.
'Nou gewoon, wat dacht je van de deur?' Samson lacht al zijn tanden bloot.

'Door de deur?' herhaalt Castillo verbaasd.
'Ja, hoe anders!' lacht Samson nu nog harder.
Iedereen schiet in de lach. Ze zijn zo blij dat hij er weer is. Maar ze hebben niet in de gaten dat een kleine, magere Mexicaan het café uitloopt. Hij werpt een snelle blik op het vijftal dat vrolijk staat te praten. Dan haalt hij zijn schouders op en loopt naar de overkant van de straat. Samson is de eerste die hem ziet lopen.
'Hé kijk, daar gaat onze laatste Mexicaan!' merkt hij op.
Maar wat ze niet zien is dat hij zijn mobieltje pakt en een nummer intoetst. Het nummer van de directeur van het zeeaquarium!

15 Het complot

'Denk je dat ze weten waarom we hier zijn?' vraagt Amber bezorgd.
'Nee, dat denk ik niet,' antwoordt Samson. 'Bij de bar vroeg ik namelijk of ze misschien een schoonmaker nodig hadden,' vertelt hij.
'En geloofden ze dat?' vraagt Umberto.
'Ja, de barkeeper zei dat hij wel iemand kon gebruiken. Ik kan morgen al beginnen,' zegt Samson met een knipoog. 'Maar ja, ik ben op vakantie!'
De anderen kijken Samson afwachtend aan. 'En wat heb je ontdekt? Heb je ze nog iets horen zeggen?' vraagt Amber.
'Nou, eigenlijk wel,' Samson wacht even voordat hij verder praat. 'Toen ik bij de bar stond te wachten hoorde die magere Mexicaan iets tegen die Engelsman zeggen. Ze gaan in ieder geval terug naar het aquarium.'
'En wat nog meer, wat zeiden ze nog meer,' vraagt Iris ongeduldig.
'Niet veel, alleen dat het een behoorlijk complot schijnt te zijn waar veel mensen bij betrokken zijn. Ze hebben kennelijk ook hulp van binnenuit. En ze willen de dolfijnen die

zogenaamd ziek zijn "vervangen". Volgens mij verkoopt die directeur zijn eigen dieren dus met voorbedachten rade aan die gangsters. Hij mompelde ook nog iets over geld van de verzekering. En die Engelsman zorgt ervoor dat ze ook in het buitenland verkocht worden. De directeur strijkt dus veel geld op, van de verzekering én van die boeven.'
De anderen reageren geschokt.
'En nu zijn ze dus op weg naar het aquarium,' stelt Umberto vast.
'Ja,' zegt Samson.
'We moeten er vanavond heen,' roept Iris.
'Jullie vergeten iets.' Samson kijkt nadenkend. 'Ze hebben hulp van binnenuit gekregen, maar van wie?'
Geschrokken kijken ze elkaar aan. Het zal toch niet...
'Zou Javier dat op zijn geweten hebben?' vraagt Iris voorzichtig.
'Nee, natuurlijk niet!' reageert Amber meteen.
'Ik kan me dat ook echt niet voorstellen hoor!' Umberto denkt na.
'Hé, jullie hebben het wel over mijn oom! Ik weet zeker dat hij het niet is geweest. Die dolfijnen zijn alles voor hem.'
'Maar wie dan?' vraagt Iris zich af.
'Daar moeten we achter zien te komen,' zegt Samson. 'Wij kennen niet iedereen daar, maar we kunnen het proberen.'
Ze denken allemaal diep na.
Umberto gaat in gedachten de trainers na die hij heeft ontmoet.
'Misschien weet ik het,' zegt hij. 'Hoe zou het zitten met die ene trainer, die met dat gebroken been? Toen ik ernaar

vroeg bij de andere trainers, deden ze daar erg geheimzinnig over. Alsof ze bang waren iets verkeerds te zeggen.'
'Zouden er meer trainers bij betrokken zijn?' vraagt Samson voorzichtig.
Umberto schudt zijn hoofd. 'Ik denk het niet. Maar je weet het nooit. Misschien durven ze geen vragen te stellen omdat ze bang zijn hun baan te verliezen. Die directeur doet alles voor geld. Het maakt die man echt niets uit als hij een paar trainers moet ontslaan. Er zijn genoeg trainers die in Mexico willen werken! Voor elke trainer tien anderen.'
'Maar waarom mogen ze er dan niet over praten?' wil Iris weten.
'Omdat anders zijn hele plannetje in het water valt. Niemand mag er dus over praten. Maar die trainer met dat gebroken been...' Umberto wrijft over zijn kin en denkt na. 'Misschien heeft die man helemaal geen gebroken been! Misschien helpt hij de criminelen binnen te komen. Hij kent de weg goed in het aquarium... Dat is het! Maar natuurlijk!' Umberto is helemaal enthousiast. 'Die kerel kan ze alles laten zien en ze de weg wijzen. Niemand verdenkt hem want hij zit zogenaamd thuis met een gebroken been! Wat slim bedacht, maar... niet slim genoeg!' besluit hij met een glimlach.
De anderen hebben ademloos geluisterd.
'Ik geloof warempel dat je gelijk hebt!' zegt Amber. Ze kijkt de anderen aan, die knikken ook. Castillo fluit zacht. 'Als het zo in elkaar steekt, is het een grote zwendel!'
'Wat doen we nu?' vraagt Samson.
'We kunnen vanuit hier nu niets doen. Zullen we even iets eten en wat drinken?' stelt Amber voor. 'En daarna nog wat

rondkijken hier, wat souvenirs kopen en dan weer terug naar mijn ouders?'
Ze lopen langs het café en gaan bij een leuk restaurantje naar binnen. Het ruikt er heerlijk. Met z'n allen genieten ze van een paar lekkere burrito's en wat cola.
Even later lopen ze verder langs de winkeltjes. Een winkeltje heeft een grote etalage die helemaal vol staat met flessen drank.
'Tequila, mezcal,' leest Iris voor. Plotseling slaakt ze een luide kreet. 'Getver! Kijk daar nou, een worm in een fles!'
Amber buigt zich naar voren en huivert. Iris heeft gelijk, daar staan flessen met een soort rups of worm erin! Bah!
Castillo grijnst en legt uit dat het juist heel lekker is. '"Con gusano!" staat er op, met worm betekent dat,' vertelt hij. 'Het is de rups van de nachtvlinder.'
Ze vinden het allemaal maar een smerig idee, een rups in je drankje. Amber wijst naar een paar flesjes cola. Dat is tenminste wel lekker, denkt ze. Ze kopen een paar flesjes.
Weer op straat kijken ze hun ogen uit. Vrouwen in felgekleurde kleren en met lange donkere haren, lopen druk pratend langs hen heen. Dan brengt Castillo ze naar een enorme kerk in klein straatje. De deur lijkt nog het meeste op een lappendeken. Hij bestaat uit allemaal kleine vakjes in allerlei kleuren. De kerkdeur staat op een kier en voorzichtig kijken ze even naar binnen.
'Kom maar mee,' zegt Castillo. 'We mogen wel even naar binnen.'
Het eerste dat opvalt is een groot Mariabeeld. En het is er ongelofelijk rustig en stil. Het verkeer buiten horen ze bijna

niet meer. In een van de banken zit een kleine Mexicaanse vrouw te bidden.
Zachtjes gaan ze weer naar buiten.
'Kom, ik weet nog een leuke kleine markt,' zegt Castillo. 'Daar kunnen jullie echte Mexicaanse souvenirs kopen.'
Amber en Iris kijken elkaar even aan en denken hetzelfde: shoppen! Achter Castillo aan lopen ze door de smalle straatjes tot ze bij een bredere straat aankomen. Hier staan verschillende kraampjes met allerlei kleurige producten.
Amber rent naar een kraampje toe en wijst op een mooie tas. 'Moet je kijken Iris, wat een mooie!'
Iris loopt naar haar vriendin toe en vergaapt zich aan de mooie spullen in de kraam. Behalve tassen liggen er ook prachtige geweven portemonnees, riemen en armbandjes.
De volgende kraam staat helemaal vol met aardewerk. Potten, schaaltjes, borden, bekers… allemaal beschilderd met typisch Mexicaanse motieven. Langzaam slenteren ze over het marktje en komen weer uit bij de eerste kraam.
'Ik wil wel zo'n portemonnee kopen,' zegt Iris.
'En ik zo'n tas!' roept Amber.
Castillo helpt hen met afdingen en even later hebben ze allebei een mooi aandenken. Umberto en Samson kiezen voor een armbandje, een zogenaamde vriendschapsband.
Terwijl ze wachten tot de jongens ook hebben betaald, ziet Iris ineens een standbeeld staan. 'Kijk nou,' zegt ze tegen Amber. 'Wat een raar standbeeld.'
Ineens houdt Amber haar adem in. 'Het oog van het standbeeld bewoog!' roept ze.
'Maar dat kan toch niet,' zegt Iris verschrikt.

Samen kijken ze nog eens goed naar het oog en terwijl ze kijken, beweegt opeens een arm een beetje.
Amber en Iris kijken elkaar ongelovig aan. De jongens hebben er geen erg in, die staan nog bij die kraam. Dan geeft het beeld de meisjes plotseling een knipoog.
'Het is helemaal geen standbeeld!' roept Iris opgelucht uit.
'Vandaar dat dat oog bewoog, en die arm!' zegt Amber en lacht naar het beeld. Op het gezicht van het beeld verschijnt langzaam een brede glimlach. Amber graait wat kleingeld uit haar zak en legt die voor het menselijke standbeeld neer. Die bedankt ze met een kleine buiging.
'Wat hoor ik nou?' vraagt Samson en kijkt verbaasd om zich heen. Ze horen trommels in een monotoon ritme. Het duurt even voordat ze door hebben waar het geluid vandaan komt, maar dan zien ze een processie. Een stoet mensen loopt achter een auto aan. Ze zijn in het wit gekleed en er liggen grote boeketten met witte bloemen op het dak van de auto. De auto is zwart en er staat een kruis op de ramen.
'Dat is een begrafenisstoet,' zegt Castillo zachtjes.
Ze zien dat er in de stoet ook mannen met gitaren meelopen. Ze spelen rustige Mexicaanse liederen. Als de stoet is verdwenen, kijken ze elkaar aan.
'En nu?' zegt Samson.
'Zullen we alvast teruggaan naar de plek waar we met mijn ouders hebben afgesproken? Het is nog iets te vroeg, maar wie weet zijn ze er al,' oppert Amber.
Castillo loopt weer voorop en brengt ze door een wirwar van straatjes op de afgesproken plek.
Tot hun stomme verbazing zitten Ambers ouders er al.

Op een bankje, genietend van een ijsje. Ze zwaaien enthousiast naar de kinderen.
'Ik dacht dat jullie nog in een museum zaten, mam,' zegt Amber en ploft naast haar ouders op het gras naast het bankje neer. De anderen laten zich ook op het gras zakken. Hero gaat languit liggen en doet zijn oogjes meteen dicht.
'Dat was ook de bedoeling, maar we hadden er genoeg van. We hebben nog even wat door de straatjes geslenterd en toen dachten we: we gaan even genieten van een ijsje.' Ambers vader lacht vrolijk.
'Mogen we ook een ijsje?' vraagt Amber.
'Volgens mij moet jij daar nog wel geld voor hebben, is het niet?' informeert haar vader streng.
'Nou eh, weet je pap, ik heb net een mooie tas gekocht. Als aandenken aan deze vakantie... Kijk!' Ze houdt de fleurige tas omhoog.
'Nou, vooruit dan maar,' zucht haar vader en hij pakt wat geld uit zijn portemonnee.

16 De ontknoping

Het is stil in het aquarium. Zachtjes lopen ze naar binnen. Ze kijken overal, maar Javier is er niet.
'Wel super van mijn ouders, dat we nog even hier naar toe mochten,' fluistert Amber.
'Ja, en ook super dat ze op Hero wilden passen. Het arme beestje wilde alleen nog maar slapen, zo moe was hij,' antwoordt Iris zachtjes.
In de glazen tunnel blijven ze staan en kijken omhoog naar de dolfijnen. Die zwemmen eigenlijk vrij normaal rond. Even later horen ze schuifelende voetstappen in de gang. Ze kijken elkaar aan. Wie is dat? Ze blijven stokstijf staan, maar zien dan een bekend hoofd verschijnen. Het is Javier!
'Daar zijn jullie eindelijk!' roept de Mexicaan blij. 'Zijn jullie al iets wijzer geworden?' Hij kijkt de kinderen vragend aan.
Amber besluit hem alles te vertellen: van de directeur, de Engelsman, het complot en de zieke trainer.
Javier luistert aandachtig. Hij fluit zachtjes door zijn tanden als ze klaar is.
'Als ik het niet dacht! Daarom praat niemand hier meer

over die trainer. Ze zijn allemaal bang! En die idioot van een directeur, ik krijg zin om hem met mijn eigen handen te...'
'Dat moeten we juist niet doen,' zegt Umberto wijs. 'Ik begrijp dat je zo reageert, maar we hebben er helemaal niets aan als jij straks ook wordt opgepakt. Nee, luister. We hebben een heel ander plan.'
Dan vertelt Umberto, aangevuld door de rest, wat het plan is. In Cancun hebben ze het er uitgebreid met Castillo over gehad. De bende en die arme dolfijnen. Castillo vond dat er wat moest gebeuren, en snel ook. Hij zei dat ze naar de politie moesten gaan. En dat hebben ze gedaan. De agenten waren blij dat ze eindelijk meer informatie hadden over de bende. Ze zouden er meteen werk van maken, vanavond al!
'Vertel nog even Javier... hoe gaat het nu met de dolfijnen? Heeft de thee van je grootmoeder geholpen?' wil Umberto weten.
'Maar natuurlijk! Wat goed is voor het baasje, is goed voor de beestjes!' lacht Javier. 'Ze zijn nog wel wat sloom, maar ze eten weer!'
'Fantastisch man!' roepen Samson en Umberto als eerste uit.
Amber en Iris juichen en springen in het rond. Zo blij zijn ze.
'Horen jullie ook iets?' vraagt Samson plotseling. Er klinkt een soort gerommel, achter in het gebouw.
Iedereen is meteen stil en luistert. Er klinken inderdaad vreemde geluiden.

'Zullen we gaan kijken?' vraagt Samson. Umberto knikt en samen gaan ze op onderzoek uit.
Javier blijft bij de meisjes. Hij vindt het maar niks.
Het geluid komt steeds dichterbij.
'Zullen wij achter de jongens aan gaan, Amber?' vraagt Iris.
Amber knikt.
'En ik dan?' Javier kijkt bang om zich heen.
'Jij blijft hier en doet alsof je nog aan het werk bent. Gewoon wat opruimen of zo, als je iemand tegenkomt zeg je maar dat je bijna klaar bent, oké?' zegt Amber.
Javier knikt.
'Komt voor elkaar!' glimlacht hij naar haar.
Ze lopen de gang door richting de uitgang. Bij het zeebassin zien ze Umberto en Samson. 'Het geluid dat we net hoorden, was van de politieauto's! Die politie is hier. Ze verwachten dat de bende vanavond zijn slag zal slaan. Ze willen ze op heterdaad betrappen,' fluistert Samson. De meiden zijn er stil van. Eindelijk actie voor de dolfijnen.
Samen wachten ze op de dingen die komen gaan. Plotseling horen ze een zware auto aankomen.
'Daar,' wijst Samson. 'Ik zie daar licht. Koplampen van een auto!'
Ze turen in het donker en zien dat het de lichten van het blauwe busje zijn. Maar daarachter rijdt nog een auto, een grote vrachtwagen. Als de auto's naar achteren zijn gereden, rennen de kinderen snel het aquarium in.
Een agent die bij de deur staat houdt ze tegen. Ze mogen er nu niet in, stel dat er wat gebeurt als de politie de boeven

wil inrekenen! Teleurgesteld lopen de kinderen weer naar buiten.
Aan de rand van het bassin gaan ze zitten, achter wat rotsen. Een lange tijd gebeurt er niets. Ze horen helemaal geen geluiden vanuit het aquarium.
'Wat zou er binnen gebeuren?' vraagt Iris zenuwachtig.
Amber kijkt op haar horloge. 'Het duurt wel lang.'
'Zullen we anders nog even gaan kijken in het aquarium?' stelt Samson voor.
'Nee,' zegt Umberto meteen, 'we mogen de politie niet in de weg lopen.'
En terwijl hij het zegt, ziet hij iets in het water bewegen. Hij tuurt en ziet een eind verderop mannen langs de rand staan. Het zijn de boeven! Hij stoot Samson aan.
Nu ziet Samson het nu ook. 'Sst,' sist hij. Hij wijst naar de mannen en iedereen is meteen doodstil. 'Ze zijn helemaal niet in het aquarium, ze halen de dolfijnen uit dit bassin! We moeten de politie waarschuwen. Ze moeten hier naartoe,' fluistert hij.
Zachtjes staat hij op en loopt geruisloos naar achteren, richting het aquarium. 'Jullie blijven hier,' zegt hij nog tegen de anderen.
Even later komt Samson terug met een politieagent. Met z'n allen zien ze hoe de boeven de dolfijnen naar de kant lokken. Eén dolfijn hebben ze al gevangen; het dier wordt het water uitgetakeld. Hij zit in een stuk zeildoek, maar ze zien nog net zijn neus en staart uitsteken.
De agent weet genoeg, en via zijn mobilofoon licht hij de andere agenten in. In rap Spaans geeft hij bevelen. Even

later komen er vijf agenten bij hen zitten. De andere agenten staan bij de uitgang, de auto's en het aquarium.
De vijf agenten kijken naar wat er gebeurt. Dan geeft een van de agenten een teken en zachtjes sluipen ze naar de boeven toe.
Amber houdt haar adem in. Ze kijkt Iris gespannen aan. Het duurt even, maar dan horen ze hoe de politie de boeven betrapt. Er klinken harde stemmen, een enorme woordenvloed en allerlei Mexicaans gevloek.
Iris kijkt voorzichtig over de rotsen heen en ziet dat de boeven gevangen worden genomen. Een voor een krijgen ze handboeien om. De agenten brengen de mannen naar de gereedstaande politieauto's.
Plotseling komt Javier naar buiten rennen. 'Wat is hier aan de hand?' vraagt hij.
Dan ziet hij de dolfijn in het zeildoek en vlug rent hij ernaar toe om het dier weer in het water te laten.
'Heb jij die dikke directeur nog gezien?' vraagt Iris opeens aan Amber.
'Nee, die zag ik hier niet bij. En die Engelsman ook niet,' zegt ze hoofdschuddend.
Snel rennen ze naar een van de agenten en vertellen dat er nog twee boeven ontbreken. Misschien zijn die in het verborgen aquarium?
Vlug vertellen Amber en Iris van het vieze bassin, waar ook nog dieren in zaten.
'Leg mij maar eens snel uit waar dat is,' zegt de agent. Hij roept een paar collega's en met z'n allen lopen ze achter de kinderen aan. In een mum van tijd zijn ze er. De agenten

bekijken het gebouwtje en verspreiden zich dan. Alle uitgangen worden nu bewaakt.
De deur staat op een kier. Amber, Iris, Samson en Umberto willen naar binnen gaan, maar een agent houdt ze tegen.
'Dit is niet voor kinderen. Ik wil dat jullie buiten wachten,' zegt hij.
'Maar wij weten de weg hierbinnen,' zegt Samson.
'Oké dan, maar geen gekke dingen doen, hè!'
Voorzichtig doen ze de deur open en gaan achter elkaar aan naar binnen. Alle lichten zijn uit. Het is hartstikke donker. De agent voorop knipt een zaklamp aan.
Ze lopen achter elkaar door de gang. Ineens zien ze het grote smerige bassin. Het lijkt wel leeg! Met hun neuzen tegen het glas turen ze in het water. Het is zo smerig dat er nauwelijks wat te zien is. Plotseling zien ze wat bewegen in het licht van de zaklamp.
'Sst, ik hoor voetstappen!' fluistert Amber.
Van schrik gaat ze achter een van de agenten staan. Iris ook. Samson en Umberto doen een stapje terug en wachten af wat er gaat gebeuren. Dan horen ze stemmen Engels praten. Het komt hun kant uit! Het zijn vast de Engelsman en die directeur! Ze horen hoe ze bespreken hoeveel geld ze met de dolfijnen hebben verdiend. En hoeveel geld ze nog zullen verdienen. De agenten grijpen snel in en nemen de beide mannen gevangen. Ze zijn stomverbaasd en bieden daardoor maar weinig verzet.
'Bingo!' fluistert Samson en hij knipoogt naar de meiden.
'Yes!' roept Amber blij en slaat haar armen om Samson, Iris en Umberto heen.

Buiten zien ze nog net hoe de twee mannen geboeid en al in een politieauto worden geduwd. De mannen kijken ongelofelijk boos naar de kinderen. Maar die trekken zich daar niets van aan.
'We hebben ze!' roept Amber enthousiast en samen bedanken ze de politieagenten.
'Eigenlijk moeten we jullie bedanken!' zegt een agent. 'Zonder jullie waren die arme dolfijnen er veel slechter aan toe geweest. We zijn ervan overtuigd dat we door deze kerels eens flink aan de tand te voelen, er ook achter zullen komen wie er nog meer meewerken aan deze ellendige dolfijnenhandel. Reken maar dat we erachter zullen komen!'
Hij geeft de meiden en de jongens een hand.
'Wat gebeurt er nu met die arme dolfijn in dat smerige water?' vraagt Amber.
'Daar hebben we al over gebeld,' antwoordt de agent haar. 'Morgenochtend komt er iemand die de zieke dolfijnen kan helpen. Het dier wordt eerst overgebracht naar een speciaal centrum waar hij op adem kan komen. Dan mag hij terug naar het zeebassin. Is dat goed geregeld zo?' vraagt hij met een olijke knipoog.
Amber straalt. 'Helemaal!'
De agent kijkt de vier kinderen aan. 'Willen jullie anders een lift naar het hotel?'
'Ja, graag!' antwoordt Amber. 'Het is al later dan de bedoeling was en ik hoop niet dat mijn ouders ongerust zijn.'
De agent glimlacht.
Het is maar een klein stukje en even later stappen ze uit bij het hotel. Daar staan de ouders van Amber al te wachten.

De politieagent heeft ze al ingelicht.
Vandaar dat die agent net zo moest glimlachen, denkt Amber verbaasd.
Haar moeder straalt van trots, haar vader kijkt iets minder blij, ziet Amber. Ambers moeder heeft Hero aan de riem. Hij blaft luid. Hij vindt het allemaal prachtig!
'Geweldig kinderen, de bende is opgepakt,' zegt Ambers vader. 'Maar ik wil het met jullie nog wel even hebben over jullie rol daarin. Komen jullie nog even mee?'
Amber voelt de bui al hangen. Dat wordt een flinke preek...

De volgende ochtend lopen de kinderen net de ontbijtzaal uit als er een verslaggever op hen afkomt. Vlak achter hem loopt een fotograaf.
'Hebben jullie gisteren geholpen de dolfijnenbende op te pakken?' vraagt de verslaggever.
De kinderen knikken enthousiast.
'Mag ik een foto van jullie maken,' vraagt de fotograaf.
De kinderen knikken weer, een beetje verlegen nu.
Snel maakt de fotograaf een paar foto's van de vier vrienden.
Ongelooflijk hoe snel het nieuws zich verspreidt, denkt Iris verbaasd.
Die dag komt de burgemeester nog in het hotel langs. Hij wil de kinderen en Javier graag spreken.
'Jongens en meiden,' begint hij. 'Ik wil jullie heel, heel hartelijk bedanken voor jullie inzet. Zonder jullie hadden we de bende nooit kunnen oppakken. We zijn ondertussen al een andere bende op het spoor. Ook dankzij jullie!'

Amber, Iris, Umberto en Samson worden er helemaal verlegen van.
'Maar jullie hebben het niet alleen gedaan,' gaat de burgemeester verder, 'ook Javier heeft meegeholpen. Javier, wil je even hierheen komen?'
Verlegen loopt hij naar de burgemeester toe.
'Javier Gonzales, bij deze benoem ik jou tot hoofd van het aquarium!'
Javiers mond valt open van verbazing.
'Hoera Javier!' roepen de kinderen door elkaar heen. Ze juichen om het hardst.
'En dat is nog niet alles, Javier,' gaat de man verder. 'Ik ga je ook vertellen dat het hele zeeaquarium opgeknapt gaat worden! En Umberto... jij kunt altijd bij ons komen werken, wanneer je maar wilt. We vinden het een eer dat we een trainer zoals jij hier mogen verwelkomen. En tot slot, krijgen jullie, Amber, Iris, Umberto en Samson, jullie hele leven lang gratis toegang tot het zeebassin en het aquarium!'
De kinderen zijn nu helemaal door het dolle heen. Ambers vader en moeder klappen om het hardst, samen met Javier. De camera's van fotografen, die met de burgemeester waren meegekomen, klikken. De ene na de andere foto wordt gemaakt. Een van de fotografen vertelt aan de kinderen dat het goede nieuws de volgende dag in de krant zal komen te staan.
'Jullie zijn echte helden!' voegt een verslaggever eraan toe.
Wat een dag! Wat een schitterende vakantie. En dan te bedenken dat dit nog maar het begin is, denkt Amber.

Ze zitten op het terras, met allemaal een groot glas drinken.
'Wie had dat nou gedacht! We zijn nog maar net in Mexico en dan alweer zo'n spannend avontuur!' zucht Amber.
Samson en Umberto kijken haar lachend aan.
Iris slaat een arm om Amber heen en lacht vrolijk. 'En we kunnen nog ruim een week gaan genieten van de dolfijnen hier!'
Amber kijkt naar de zee. Wat is ze blij dat alles zo goed is afgelopen voor de dolfijnen.
'Volgens mij zoekt het avontuur ons gewoon op!' zegt ze.
'Volgens mij ook,' antwoordt Iris met een knipoogt. 'Wedden dat we de volgende vakantie weer van alles beleven!'

Mary van der Valk is geboren in Bloemendaal, Noord-Holland. Vanaf het moment dat ze kon schrijven, maakte ze al verhaaltjes en gedichten. In de klas, later op de middelbare school als de les niet zo boeiend was (ze schreef o.a. verhalen voor de wiskundeleraar omdat ze last had van dyscalculie; hetzelfde als dyslexie maar dan alleen met getallen), of in de trein, op weg naar een stad als Amsterdam.

Ze wist altijd al dat ze schrijfster wilde worden, maar heeft eerst allerlei andere dingen gedaan. Voor juf gestudeerd, later op Schiphol gewerkt, om weer later verschillende studies te gaan volgen op het gebied van psychologie en geneeskunde. Ze zette een eigen praktijk op in Heerhugowaard. Daar helpt ze kinderen en volwassenen met psychische problemen en/of lichamelijke klachten.

Op een dag kwam er een mailtje van uitgeverij De Eekhoorn met de vraag of ze een dolfijnenserie wilde schrijven. Binnen 10 dagen was het eerste deel klaar. Het werd enthousiast ontvangen. Nu werkt ze 3 dagen per week als schrijfster en 2 dagen in haar praktijk. Op haar zevenenveertigste verscheen haar eerste kinderboek, *Het geheime eiland*. Daarin beleven twee meiden, Amber en Iris, spannende avonturen, ontmoeten ze een knappe Italiaanse jongen Umberto genaamd en uiteraard de dolfijn, waarmee ze van alles beleven! Het tweede deel heet *Red de dolfijn* en hierin gaan Amber en Iris met hun vriend Umberto naar Amerika! Hier beleven zij weer allerlei avonturen. Zo gaan ze de zee op met Greenpeace, ontdekken ze een heus complot tegen de dolfijnen en maken ze heel bijzondere vrienden! En dat alles niet zonder gevaar, niets is wat het lijkt te zijn...
Het zijn boeken die je in één adem uitleest! En het leuke is dat zowel jongens als meisjes het kunnen lezen. Daarnaast schrijft ze ook boeken voor volwassen mensen.

Mary woont in Heerhugowaard, heeft drie kinderen; Elise (1985), Tobias (1988) en Fay (1991) en een hond Djeemie.
Haar website is www.psychischehulp.nl
Als je haar een mailtje wilt sturen kan dat. Haar emailadres is:
marijvandervalk@quicknet.nl of op mary58@live.nl
Je krijgt altijd persoonlijk antwoord terug.

In de serie

Dolfijnenavonturen

zijn eerder verschenen:

Het geheime eiland

Amber en Iris zijn op vakantie in Italië. Ze logeren in een heel luxe hotel dat vol zit met oude, saaie mensen. Dan ontmoeten ze Umberto, de zoon van de hotel-eigenaar. Hij is ongeveer even oud als de meisjes. Er is iets raars met hem, maar wat?

Er gebeurt van alles: tijdens een boottochtje ontdekken ze een verlaten eiland met een geheime grot! Daar beleven ze leuke maar ook hele spannende avonturen. Met in de hoofdrol Umberto, een dolfijn en ongure mannen!

Een spannend boek over een bijzondere dolfijn, vriendschap en vertrouwen. Maar vooral een boek dat je in één adem wil uitlezen!

ISBN 978-90-454-1073-9

Red de dolfijn!

Amber en Iris mogen samen met Umberto, hun Italiaanse vriend uit het eerste deel van deze serie, in Amerika dolfijnen gaan trainen! Maar al gauw blijkt dat er vreemde dingen gebeuren in het dolfijnencentrum. De drie gaan op onderzoek uit en komen erachter dat niets is wat het lijkt te zijn. Enge steegjes, verdachte trainers, een avontuur op zee voor Greenpeace, een heus complot en het maken van nieuwe vrienden vormen de ingrediënten van dit spannende dolfijnenavontuur.

En voor wie het jammer vindt dat het al uit is na het lezen van de laatste bladzijde, er verschijnen nog vier delen! Dolfijnenavonturen, een serie die je in één adem uit wil lezen!

ISBN 978-90-454-1095-1

Avonturen op Curaçao

Amber, Iris en hun vriend Nils hebben een goed idee. Ze gaan geld inzamelen om het autistische neefje van Nils, Diego, te laten zwemmen met dolfijnen. Daarbij krijgen ze hulp uit onverwachte hoek! En zo belanden ze met z'n allen in een super-de-luxe hotel op Curaçao. Daar maken ze van alles mee: ze ontmoeten Roald, zien op zee een groepje dolfijnen en ze ontdekken een geheime grot. Ze beleven er de mooiste en spannendste avonturen. En als klap op de vuurpijl halen ze een recordbedrag aan geld op voor het goede doel!

Een spannend boek over dolfijnen en vriendschap.
Maar vooral een boek dat je in één adem wilt uitlezen!

ISBN 978-90-454-1127-9